18 Very Short Stories

18 nouvelles très courtes

Langues pour tous

Collection dirigée par Jean-Pierre Berman, Michel Marcheteau et Michel Savio

ANGLAIS Série bilingue

Niveaux : ❑ facile ❑❑ moyen ❑❑❑ avancé

Littérature anglaise et irlandaise

- **Carroll (Lewis)** ❑
  Alice au pays des merveilles
- **Churchill (Winston)** ❑❑
  Discours de guerre 1940-1946
- **Cleland (John)** ❑❑❑
  Fanny Hill
- **Conan Doyle** ❑
  Nouvelles (6 volumes)
- **Dickens (Charles)** ❑❑
  David Copperfield
  Un conte de Noël
- **Fleming (Ian)** ❑❑
  James Bond en embuscade
- **French (Nicci)** ❑
  Ceux qui s'en sont allés
- **Greene (Graham)** ❑❑
  Nouvelles
- **Jerome K. Jerome** ❑❑
  Trois hommes dans un bateau
- **Kinsella (Sophie), Weisberger (Lauren)**
  Love and the City ❑
- **Kipling (Rudyard)** ❑
  Le livre de la jungle (extraits)
  Deux nouvelles
- **Maugham (Somerset)** ❑
  Nouvelles brèves
  Deux nouvelles
- **McCall Smith (Alexander)**
  Contes africains ❑
- **Stevenson (Robert Louis)** ❑❑
  L'étrange cas du Dr Jekyll et de Mr Hyde
- **H.G. Wells** ❑❑
  Les mondes parallèles
- **Wilde (Oscar)**
  Nouvelles ❑
  Il importe d'être constant ❑

Ouvrages thématiques

- **L'humour anglo-saxon** ❑
- **300 blagues britanniques et américaines** ❑❑

Littérature américaine

- **Bradbury (Ray)** ❑❑
  Nouvelles
- **Chandler (Raymond)** ❑❑
  Les ennuis c'est mon problème
- **Fitzgerald (Francis Scott)** ❑❑
  Un diamant gros comme le Ritz ❑❑
  L'étrange histoire de Benjamin Button ❑❑
- **Hammett (Dashiell)** ❑❑
  Meurtres à Chinatown
- **Highsmith (Patricia)** ❑❑
  Crimes presque parfaits
- **Hitchcock (Alfred)** ❑❑
  Voulez-vous tuer avec moi ?
  À vous de tuer
- **King (Stephen)** ❑❑
  Nouvelles
  L'ordinateur des dieux
- **London (Jack)** ❑❑
  Histoires du Grand Nord
  Contes des mers du Sud
- **Poe (Edgar)** ❑❑❑
  Nouvelles
- **Twain (Mark)** ❑❑
  Le long du Mississippi

Anthologies

- **Nouvelles US/GB** ❑❑ **(2 vol.)**
- **Histoires fantastiques** ❑❑
- **Nouvelles anglaises classiques** ❑❑
- **Ghost Stories – Histoires de fantômes** ❑❑
- **Histoires diaboliques** ❑❑

Autres langues disponibles dans les séries de la collection
Langues pour tous

ALLEMAND · AMÉRICAIN · ARABE · CHINOIS · ESPAGNOL · FRANÇAIS · GREC · HÉBREU
ITALIEN · JAPONAIS · LATIN · NÉERLANDAIS · OCCITAN · POLONAIS · PORTUGAIS
RUSSE · TCHÈQUE · TURC · VIETNAMIEN

ISBN 978-2-266-20360-9

18 Very Short Stories

18 nouvelles très courtes

Choix, traduction et notes par

Henri Yvinec
Agrégé de l'université

Pocket, une marque d'Univers Poche,
est un éditeur qui s'engage pour la
préservation de son environnement et
qui utilise du papier fabriqué à partir
de bois provenant de forêts gérées de
manière responsable.

ISBN : 978-2-266-22564-9

Sommaire

Comment utiliser la série « Bilingue »

Cet ouvrage de la série « Bilingue » permet au lecteur :

- d'avoir accès aux versions originales de textes célèbres en anglais, et d'en apprécier, dans les détails, la forme et le fond ;
- d'améliorer sa connaissance de l'anglais, en particulier dans le domaine du vocabulaire dont l'acquisition est facilitée par l'intérêt même du récit, et le fait que mots et expressions apparaissent en situation dans un contexte, ce qui aide à bien cerner leur sens.

Cette série constitue donc une véritable méthode d'auto-enseignement, dont le contenu est le suivant :

- page de gauche, le texte anglais ;
- page de droite, la traduction française ;
- bas des pages de gauche et de droite, une série de notes explicatives (vocabulaire, grammaire, etc.).

Les notes de bas de page aident le lecteur à distinguer les mots et expressions idiomatiques d'un usage courant, et qu'il lui faut mémoriser, de ce qui peut être trop exclusivement lié aux événements et à l'art de l'auteur.

Il est conseillé au lecteur de lire d'abord l'anglais, de se reporter aux notes et de ne passer qu'ensuite à la traduction ; sauf, bien entendu, s'il éprouve de trop grandes difficultés à suivre le récit dans ses détails, auquel cas il lui faut se concentrer davantage sur la traduction, pour revenir finalement au texte anglais, en s'assurant bien qu'il en a dès lors maîtrisé le sens.

Professeur agrégé d'anglais, Henri Yvinec a enseigné au lycée Hector-Berlioz de Vincennes, à Paris IV-Sorbonne et à Columbia University, Paris. Il a été lecteur aux éditions Gallimard dans le domaine anglo-saxon.

Il a créé en 1988, au Livre de Poche Hachette, la collection unilingue « Lire en... » (10 langues et 91 volumes à ce jour). Il a également créé, aux Editions Didier, la collection des « Petites grammaires pratiques » (anglais, allemand, espagnol, latin).

Il a traduit une quinzaine de romans et recueils de nouvelles chez Gallimard, de Fallois, Autrement et au Livre de Poche Hachette.

Il a publié :

– dans la collection LANGUES POUR TOUS :
  • dans la série bilingue annotée
    · *Nouvelles anglaises et américaines I* et *II*
    · *Nouvelles de Graham Greene*
    · *Nouvelle de Patricia Highsmith* (volume IV)
  • Également : *Le Dictionnaire de l'anglais d'aujourd'hui* (en collaboration)
– aux éditions Assimil : *L'Anglais par l'humour*
– aux éditions Phaidon : *Le Musée de l'art du XXe siècle*
– à paraître aux éditions Autrement : *L'Imposteur*, roman traduit de l'anglais de ***Julian Glong***.

Prononciation

Sons voyelles

[ɪ] **pit**, un peu comme le *i* de *site*

[æ] **flat**, un peu comme le *a* de *patte*

[ɒ] ou [ɔ] **not**, un peu comme le *o* de *botte*

[ʊ] ou [u] **put**, un peu comme le *ou* de *coup*

[e] **lend**, un peu comme le *è* de *très*

[ʌ] **but**, entre le *a* de *patte* et le *eu* de *neuf*

[ə] jamais accentué, un peu comme le *e* de *le*

Voyelles longues

[iː] **meet** [miːt], cf. *i* de *mie*

[ɑː] **farm** [fɑːʳm], cf. *a* de *larme*

[ɔː] **board** [bɔːʳd], cf. *o* de *gorge*

[uː] **cool** [kuːl], cf. *ou* de *mou*

[ɜː] ou [əː] **firm** [fəːʳm], cf. *eu* de *peur*

Semi-voyelle

[j] **due** [djuː], un peu comme *diou*...

Diphtongues (voyelles doubles)

[aɪ] **my** [maɪ], cf. *aïe !*

[ɔɪ] **boy** [bɔɪ], cf. *oyez !*

[eɪ] **blame** [bleɪm], cf. *eille* dans *bouteille*

[aʊ] **now** [naʊ], cf. *aou* dans *caoutchouc*

[əʊ] ou [əu] **no** [nəʊ], cf. *e + ou*

[ɪə] **here** [hɪəʳ], cf. *i + e*

[ɛə] **dare** [dɛəʳ], cf. *é + e*

[ʊə] ou [uə] **tour** [tʊəʳ], cf. *ou + e*

Consonnes

[θ] **thin** [θɪn], cf. *s* sifflé (langue entre les dents)

[ð] **that** [ðæt], cf. *z* zézayé (langue entre les dents)

[ʃ] **she** [ʃiː], cf. *ch* de *chute*

[ŋ] **bring** [brɪŋ], cf. *ng* dans *ping-pong*

[ʒ] **measure** ['meʒəʳ], cf. le *j* de *jeu*

[h] le *h* se prononce ; il est nettement expiré

Accentuation

ˈ – accent unique ou principal, comme dans MOTHER ['mʌðəʳ]

ˌ – accent secondaire, comme dans PHOTOGRAPHIC [ˌfəutɔ'græfɪk]

ʳ indique que le **r**, normalement muet, est prononcé en liaison ou en américain

ABRÉVIATIONS UTILISÉES DANS LES NOTES

adj	adjectif
adv	adverbe
cf	*confer*, voir
fig	figuré (sens)
ht	haut
l	ligne
m. à m.	mot à mot
n	note
p	page
plur	pluriel
prép	préposition
prop	propre (sens)
qqch	quelque chose
qqn	quelqu'un
sb	somebody
sing	singulier
sth	something
v	verbe

INTRODUCTION

Trois chameaux pleins d'astuce..., **un visiteur d'une autre planète** qui ne manque pas de sens critique..., **un ami bien mal choisi**..., **un premier amour** sur fond de guerre..., **une petite fille pauvre**, médusée devant une vitrine, quelque part aux USA..., **un roi très cruel**..., **un fantôme** on ne peut plus soumis..., **une gouvernante poursuivie** dans les recoins d'un château irlandais..., **les membres d'un orchestre très particulier** dans un petit village anglais..., une **mère éplorée** devant l'attitude de son fils..., un criminel en cavale dans une forêt du Kentucky..., **une ouvrière à Londres**, en proie à la solitude..., etc.

Autant de personnages hauts en couleur, exposés à toutes sortes de situations tragiques, comiques, cocasses – reflets de la vie anglaise ou américaine, de la vie tout court.

Dix-huit nouvelles condensées (de une à quatre pages), d'une lecture agréable et encourageante par leur brièveté même, par la langue de leurs auteurs (Katherine Mansfield, R. L. Stevenson, C. Dickens, T. Hardy, M. Twain, A. Bierce entre autres), par leur intérêt littéraire et humain.

Henry Yvinec

1

Barry Eric Odell Pain

The Pool in the Desert

La Mare dans le désert

Barry Eric Odell Pain (1864-1928), journaliste, écrivain et poète anglais, est né à Cambridge où il a fait ses études à Corpus Christi College. Auteur prolixe, il est surtout connu pour ses parodies et ses nouvelles teintées d'humour, dans la veine de *The Pool in the Desert*. En 1992, douze de celles-ci ont été adaptées sur BBC 2. En 2006, c'est *Eliza* qui a fait l'objet d'une série radiodiffusée sur BBC Radio 4.

There was once[1] a desert. Now I come to think of it, there still is.

Across the desert mounted on three camels, came the millionaire, the artist, and the analyst. During the day their diet[2] had consisted principally of biscuits and sand. With this they had drunk as much dry sherry as happened[3] to be left[4] in the millionaire's gold flask with the diamond monogram on it. Therefore[5] at first sight[6] they were glad when they saw the pool, and dismounted hurriedly[7] from their camels. But self-respect, which is a splendid quality, came to their rescue. It was the millionaire who spoke first.

"I don't call that a pool at all. I have a lake in the park at my country-place[8] at least four times the size[9] of that. It is a wretched[10] skimpy[11] little business not worth our attention. Now[12] if we had come to the cataract of Niagara, that really would have been of some interest."

Even as he spoke[13], the analyst had produced[14] from his saddle-bags test tubes, and litmus paper, and a spirit-lamp, and all manner of[15] mixed chemicals, and was busily[16] engaged on a sample of the water which he had taken. It was the artist who spoke next[17].

"Water demands[18] green surroundings[19]. To put a pool in a desert is to put it in a wrong[20] setting[21] altogether[22]."

---

1. **once** : (ici) *jadis*; début qui évoque un conte; **once upon a time there was a king** : *il était une fois un roi*; aussi **once, twice, three times, four times...**
2. **diet** : (ici) *nourriture*; sens courant : *régime*; **be on a diet** : *être au régime.*
3. **happen(ed)** exprime ici le hasard; **if you happen to see her** : *si jamais tu la vois*; **I happened to meet her** : *je l'ai rencontrée par hasard.*
4. **be left : there is nothing left** : *il ne reste rien* (notez la construction).
5. **therefore : in consequence, consequently.**
6. **sight : love at first sight** (*vue*) : *coup de foudre.*
7. **hurriedly : to hurry** : *se dépêcher, se hâter.*
8. **(country-)place** : *endroit où on vit.* **Come to my place** : *viens chez moi.*
9. **size** : *taille, étendue, superficie...* (selon le contexte).
10. **wretched : bad, low-quality, worthless** : *sans valeur* (**worth** : *valeur*).
11. **skimpy : too small** (= *maigre, frugal, minuscule*).

Il était une fois un désert. Maintenant que j'y pense, il existe toujours.

À travers ce désert, montés sur trois chameaux, cheminaient le millionnaire, l'artiste et le chimiste analyste. Durant le jour, leur repas avait été principalement composé de biscuits et de sable. Avec cela ils avaient bu autant de xérès qu'il se trouvait en rester dans la gourde en or du millionnaire, ornée de son monogramme en diamant. Aussi, à première vue, ils furent heureux de voir la mare et, sans attendre, ils descendirent de leur chameau. Mais le respect de soi, qui est une merveilleuse qualité, vint à leur rescousse. Ce fut le millionnaire qui parla le premier.

— Je n'appelle absolument pas ça une mare. J'ai dans ma propriété à la campagne un lac qui est au moins quatre fois plus grand que ça. Ceci est un pauvre petit machin qui ne mérite pas notre attention. Ah ! si nous étions arrivés aux chutes du Niagara, voilà ce qui aurait été de quelque intérêt !

Pendant qu'il parlait, le chimiste avait sorti de ses sacoches de selle des éprouvettes, du papier de tournesol, une lampe à alcool, tout un assortiment de produits chimiques et il était fort occupé à l'examen d'un échantillon d'eau qu'il avait prélevé. Ce fut l'artiste qui parla à son tour.

— Il faut que l'eau soit entourée de verdure ! Placer une mare dans un désert, c'est la placer dans un environnement qui ne lui convient pas du tout.

---

12. **now** : notez cet usage de **now** (exclamatif ici) ; **now that is what I call a lake!** : *voilà ce que j'appelle un lac !*

13. **even as he spoke : at the very moment that... while he was speaking.**

14. **produce(d)** : (faux ami) : *présenter, sortir (de)* ; **to produce** : *produire.*

15. **all manner of : all sorts of.**

16. **busily** : *activement.*

17. **next** (adv) *ensuite, après* ; (adj) *prochain, suivant* ; **the next episode.**

18. **demand(s)** : *exiger* (d'où *il faut que...*).

19. **surroundings** : *alentours, environs.*

20. **wrong : inappropriate, unsuitable** ; le contraire : **right : the right man in the right place** : *l'homme qu'il faut à la place qu'il faut.*

21. **setting** : *cadre, décor.*

22. **altogether : completely, totally, entirely, utterly.**

"Here we have one[1] stunted and miserable palm tree, and no other vegetation. There is really nothing at all here that I should care to paint[2]." The analyst was now ready with his results.

"This is precisely what I feared. There can be no doubt whatever[3] that this pool suffers from[4] organic pollution. I do not say that it exists to such an extent[5] as to be dangerous to life, but there is a very distinct trace. I will show you the figures[6] in my analysis."

He did so[7]." I have forgotten the figures. But that does not matter[8], because if I told you them, you also would forget them. And then for a while[9] these three good men sat and looked at one another[10]."

"I believe I am dying of thirst[11]", said the millionaire.

"So am I[12]," said the artist.

"There is no known from of liquid that I would not at this moment gladly[13] drink," said the analyst.

So after all they turned their attention to the pool. But in the meantime[14] the three camels—poor dumb[15] beasts who knew no better—had drunk up[16] the whole of that pool, and had gone on their way rejoicing[17].

---

1. **one** (et non pas **a**) insiste sur le fait qu'il y avait un seul palmier.
2. **care to paint** ou **feel like painting.**
3. **there can be no doubt** <u>**whatever**</u> ou **there cannot be any doubt at all.**
4. **suffers** <u>**from**</u>.
5. **to such** <u>**an**</u> **extent** : place de l'article avec **such.**
6. **figure(s)** : (faux ami) *chiffre* ; **face** : *figure, visage.*
7. **He did so** : **so** sert souvent à éviter des répétitions (ici celle de **show**).
8. **that does not matter** ou **that is of no importance.**
9. **for a while** (nom) : **for some time. I didn't stay a long while.**
10. **at one another** ou **at each other.**
11. **dying** <u>**of**</u> **thirst** : **to die** (modification orthographique !) : **die** <u>**of**</u> (**cancer...**) ; **be thirsty** : *avoir soif.*

— Ici, il y a un unique palmier rabougri et rien d'autre comme végétation. Il n'y a là absolument rien que j'aurais envie de peindre.

Le chimiste tenait maintenant prêts ses résultats.

— C'est exactement ce que je redoutais. Il ne peut y avoir le moindre doute que cette mare présente les symptômes d'une pollution organique. Je ne dis pas qu'il en existe au point d'être un danger pour la vie, mais elle recèle des traces tout à fait significatives. Je vous montrerai les chiffres de mon analyse.

Il s'exécuta. J'ai oublié les chiffres. Mais cela n'a aucune importance puisque si je vous les donnais, vous les oublieriez à votre tour.

Et puis, pendant quelque temps, ces trois bonshommes demeurèrent assis en se regardant.

— Je crois que je suis en train de mourir de soif, dit le millionnaire.

— Moi aussi, dit l'artiste.

— Il n'existe aucune espèce de liquide connu que je ne boirais volontiers à cet instant, dit le chimiste.

Aussi finirent-ils après tout par porter tous les trois leur attention sur la mare.

Mais entre-temps les trois chameaux, pauvres bêtes innocentes qui n'en savaient pas plus long, avaient bu toute l'eau de la mare et s'en étaient allés, joyeux.

---

12. **so am I (dying)** : équivalent de « *moi aussi, toi aussi...* ». **He will come, so will she**; **he came, so did she** (reprise de l'auxiliaire au même temps que celui du premier élément de la phrase).

13. **gladly** : *avec plaisir, avec joie, de bon cœur*; **glad** : *content.*

14. **in the meantime** ou **in the meanwhile.**

15. **dumb** [dʌm] : le **b** final n'est pas prononcé : *muet* mais aussi *bête, stupide* (pas tellement dans le cas présent !...); **our dumb friends** : *nos amis les bêtes, nos frères inférieurs* (incapables de parler); **deaf-and-dumb** : *sourd-muet.*

16. **drunk up** : **up** indique « *en entier, jusqu'au bout* » ; **full up** : *plein à ras bord* ou (familier) *repu*; **be fed up** : *en avoir assez, en avoir marre.*

17. **rejoicing** : **rejoice** : *se réjouir*; **he rejoiced on** ou **at the good news** : *il se réjouissait de la bonne nouvelle.*

2

Robert Louis Stevenson

The Distinguished[1] Stranger[2]

Le Gentleman venu d'ailleurs

Robert Louis Stevenson (1850-1894), né à Édimbourg de parents écossais, est à la fois poète, essayiste et romancier. *L'Île au trésor* (*Treasure Island*) lui assura une popularité immédiate. Il est aussi l'auteur de ce chef-d'œuvre de la littérature d'épouvante *The Strange Case of Dr Jekyll and Mr Hyde* dans lequel le dédoublement de la personnalité est rendu sensible de façon saisissante. Il convient également de signaler *The Master of Ballantrae* au sujet duquel Julien Green écrit dans son *Journal* : « Continué *The Master of Ballantrae* avec une très grande admiration. »

---

1. **distinguished** : *distingué* comme un gentleman.
2. **stranger** : *étranger, inconnu* ; **he is a stranger to me** : *je ne le connais pas* ; **a foreigner** : *un étranger* (qqn d'un autre pays).

Once upon a time there came to this earth a visitor from a neighbouring[1] planet. And he was met at the place of his descent by a great philosopher, who was to show[2] him everything.

First of all they came through a wood, and the stranger looked upon the trees.

"Whom[3] have we here?" said he.

"These are only vegetables[4]," said the philosopher. "They are alive[5], but not at all interesting."

"I don't know about that," said the stranger. "They seem to have very good manners. Do they never speak?"

"They lack[6] the gift[7]," said the philosopher.

"Yet I think I hear them sing[8]," said the other.

"That is only the wind among[9] the leaves," said the philosopher. "I will explain to you the theory of winds: it is very interesting."

"Well," said the stranger, "I wish I knew[10] what they are thinking."

"They cannot think[11]," said the philosopher.

"I don't know about that," returned[12] the stranger: and then, laying his hand upon a trunk: "I like these people," said he.

"They are not people at all," said the philosopher. "Come along."

Next[13] they came through a meadow where there were cows.

"These are very dirty people," said the stranger.

---

1. **neighbouring** : *avoisinant, voisin* (adj) ; **a neighbour** : *un voisin*.
2. **was to show** : **be to** + verbe pour parler d'une action qui est prévue ; **the President** <u>**is to speak**</u> **on television tomorrow** (... *doit parler*...).
3. **whom** : complément d'objet direct et indirect de **who**, forme qu'il prend quand il est complément d'objet direct ou indirect.
4. **vegetable(s)** : *légume(s)* (sens plus courant).
5. **alive** ou **living (creatures)**.
6. **lack** : **not to have,** *manquer de* ; **we lack the resources.**
7. **gift** : *don* ; **he has a gift for languages** ; **give, gave, given.**

Il était une fois un visiteur qui arriva sur cette terre, venu d'une planète voisine. Vint le chercher, à l'endroit où il était descendu, un grand philosophe qui devait lui montrer tout ce qu'il y avait à voir.

Tout d'abord, ils traversèrent un bois et l'inconnu posa son regard sur les arbres.

— Qui avons-nous ici ? demanda-t-il.

— Ce ne sont que des végétaux, répondit le philosophe, ils sont vivants, mais pas du tout intéressants.

— Je n'en suis pas si sûr, rétorqua l'étranger. Ils semblent avoir de bonnes manières. Ils ne parlent jamais ?

— Ils n'ont pas le don de la parole, répondit le philosophe.

— Pourtant il me semble les entendre chanter, observa l'autre.

— Ça c'est seulement le vent dans leurs feuilles, énonça le philosophe. Je vous expliquerai la théorie des vents. C'est très intéressant.

— Eh ! bien, j'aimerais savoir ce qu'ils pensent.

— Ils sont incapables de penser, dit le philosophe.

— Je n'en suis pas si sûr, reprit l'étranger ; puis, posant la main sur un des troncs, il dit :

— J'aime ces gens-là.

— Ce ne sont pas du tout des « gens ». Allons, venez.

Ensuite ils traversèrent une prairie où il y avait des vaches.

— Ces gens sont très sales, remarqua l'étranger.

---

8. **I hear them sing** ou **I hear them singing** : cela après les verbes de perception (**see, hear, feel**) ; en principe la forme en **–ing** est employée quand l'action dure un certain temps. **I heard her playing the piano all afternoon.**

9. **among** : *parmi.*

10. **I wish I knew** : **knew** est ici un subjonctif (marquant l'hypothèse).

11. **they cannot think** : **they are unable to think**.

12. **return**(**ed**) : (ici) **answer, reply**.

13. **next** (adv ici) : **then, afterwards** ; (adj) *suivant, prochain.*

"They are not people at all," said the philosopher, and he explained what a cow is in scientific words which I have forgotten.

"That is all one to me," said the stranger. "But why do they never look up?"

"Because they are graminivorous," said the philosopher; "and to live upon[1] grass, which is not highly nutritious[2], requires so close an attention[3] to business that they have no time to think, or speak, or look at the scenery, or keep themselves clean."

"Well," said the stranger, "that is one way to live, no doubt. But I prefer the people with the green heads."

Next they came into a city, and the streets were full of men and women.

"These are very odd[4] people," said the stranger.

"They are the people of the greatest nation in the world[5]," said the philosopher.

"Are they indeed?" said the stranger. "They scarcely[6] look so."

---

1. **to live upon grass** ou **living upon grass** (*le fait de...*).

2. **which is not highly** (**very**) **nutritious** : **which,** précédé d'une virgule, reprend ce qui a été dit (**to live...**) ; **what** annonce ce qu'on va dire : **what is not nutritious is to live upon grass.**

3. **so close an attention** ou **such a close attention** : remarquez les places de l'article ; **close** : **concentrated.**

4. **odd** : **strange, queer, peculiar.**

5. **the greatest nation in the world.**

6. **scarcely** : **hardly, barely** (*à peine, tout juste*).

— Ce ne sont pas des « gens » du tout, rétorqua le philosophe ; et il expliqua ce qu'est une vache, en des termes scientifiques que j'ai oubliés.

— Cela m'est indifférent, dit l'étranger. Mais pourquoi ne lèvent-elles jamais les yeux ?

— Parce que ce sont des herbivores, répondit le philosophe, et, vivre d'herbe, ce qui n'est pas très nourrissant, ça exige une attention si grande à ce qu'elles font qu'elles n'ont pas le temps de réfléchir, de parler, de regarder le paysage ou de se laver.

— Enfin, dit l'étranger, c'est une façon de vivre, sans doute. Mais je préfère les gens à la tête verte.

Puis ils entrèrent dans une ville où les rues étaient pleines d'hommes et de femmes.

— Voilà des gens tout à fait bizarres, fit l'inconnu.

— Ce sont les habitants de la plus grande nation du monde, dit le philosophe.

— Vraiment ? fit l'étranger. Ils n'en ont pas tellement l'air.

3

Robert Louis Stevenson

The Man and his Friend

L'Homme et son ami

A man quarreled with his friend.

"I have been much deceived[1] in you," said the man.

And the friend made a face at him[2] and went away.

A little after, they both died[3], and came together before[4] the great[5] white Justice of the Peace. It began to look[6] black for the friend, but the man for a while[7] had a clear[8] character and was getting in good spirits[9].

"I find here some record[10] of a quarrel[11]," said the justice, looking in his notes. "Which[12] of you was in the wrong[13]?"

"He was," said the man. "He spoke ill of me behind my back."

"Did he so[14]?" said the justice. "And pray how did he speak about your neighbours?"

"Oh, he had always a nasty[15] tongue," said the man.

"And you chose[16] him for your friend?" cried the justice. "My good fellow, we have no use[17] here for fools."

So the man was cast in the pit[18] of hell and the friend laughed out aloud in the dark and remained to be tried[19] on other charges.

---

1. **deceive(d)** : (faux ami) *tromper, duper*; **disappoint** : décevoir.

2. **made a face at him** : **at** indique parfois une idée d'agressivité (**laugh** : *rire*; **laugh at** : *se moquer de*; **shoot at** : *tirer sur*).

3. **died** : **die** (action); **be dead** (état); **death** : *la mort*.

4. **before** employé pour le lieu aussi bien que pour le temps; peu usuel de nos jours, sauf dans certains contextes (ex. **before a magistrate, before God**, etc.).

5. **great** implique ici une idée de grandeur, de majesté.

6. **look** : (ici) *avoir l'air, paraître*; **it will look bad** : *cela fera mauvais effet*.

7. **for a while : for some time**; *aussi* **while** (conj) : *tandis que, pendant que*.

8. **clear (character or reputation, conscience...) : untroubled, innocent.**

9. **spirits : mental state, mood** (*humeur, état d'esprit*).

Un homme se disputa avec son ami.

— Tu m'as bien trompé, lui dit-il.

Là-dessus, l'ami lui fit des grimaces et s'en alla.

Peu de temps après, ils moururent tous les deux et se présentèrent ensemble devant le grand Juge de Paix, drapé de blanc. Les choses commencèrent à mal tourner pour l'ami mais l'homme, pour un temps, eut la réputation indemne et commença à se réjouir.

— Je trouve ici mention d'un différend, prononça le juge, examinant ses notes. Qui de vous deux était dans son tort ?

— Lui, répondit l'homme, il a dit du mal de moi derrière mon dos.

— Vraiment ? fit le juge. Et je vous prie, en quels termes parlait-il de vos voisins ?

— Oh ! il a toujours été très mauvaise langue, dit l'homme.

— Et vous l'avez choisi pour ami ? s'écria le juge. Mon bon monsieur, nous n'avons que faire des imbéciles ici !

En conséquence, l'homme fut jeté en enfer et l'ami se mit à rire aux éclats dans l'obscurité et y demeura en attendant d'être jugé sur d'autres chefs d'accusation.

---

10. **record** : *rapport, note* ; **records, archives** ; **to record** : *noter, enregistrer.*
11. **a quarrel** et **to quarrel** (cf première ligne du texte).
12. **which** indique le choix ; **which book do you prefer ?**
13. **be in the wrong** (n) ou **be wrong** (adj) ; **do sb wrong** : *faire du tort à qqn* ou *se montrer injuste envers qqn* ; **wrongdoing** : *mal, méfait.*
14. **did he (do) so ? so** sert souvent à éviter la répétition (ici de **speak ill of**).
15. **nasty** : *mauvais, méchant.*
16. **chose : choose, chose, chosen : select.**
17. **use** (n) : *utilité, emploi* ; **to use** : *utiliser, employer.*
18. **cast, cast, cast** : jeter ; **pit** (*trou, fosse*) **of hell** : *enfer.*
19. **tried** ; **to try** : *juger, mettre en jugement* ; **trial** : *procès, jugement.*

4

Aldrich Sturdy

The Girl with the Red Rose

La Jeune Fille à la rose rouge

Aldrich Sturdy (1895-1940), né en Australie, a émigré en Grande-Bretagne où il a poursuivi des études de droit. Après de nombreux voyages de par le monde, il s'est lancé dans le journalisme. Il a collaboré à nombre de revues et journaux anglo-saxons, y apportant aussi sa contribution comme auteur de quelques nouvelles.

It was a cold evening in April but all the same the eighteen year old girl stood behind the iron gate as she would[1] do every single day[2] except Saturdays and Sundays. The gate was full of bullet holes[3] for[4] the war was on[5]. Through one of those, on a level with her head, she would peep[6] at a very handsome young man coming back from work (he was employed as a clerk[7] by the enemy[8] in the nearby[9] city). It was but[10] a glimpse of course but it meant[11] so much to her, this first love, enough to brighten up[12] her life, full of anxious expectations.

The two young people were only recent neighbours and they had come across[13] each other just a few times but that had been more than enough to cause many flutterings[14] of the heart in the timid[15] young girl. How could the latter[16] possibly express the deep sentiments that overwhelmed her so abruptly and so persistently? ... Would they be shared?

One evening, many many peeps later, forgetting all about her natural shyness, she made a rash decision[17]. She would pick a flower in the garden. She would listen hard for[18] the approaching steps. She would force the attention of her beloved by thrusting[19] a rose through one of the holes, a red rose with thick lustrous petals, the most beautiful one[20], which she would choose secretly. God knows how generous her father's garden had been[21] that late April[22]!

---

1. **would** exprime une habitude du passé.
2. **every <u>single</u> day** est plus fort que **every day.**
3. **bullet holes : hole :** *trou.*
4. **for : because.**
5. **the war was on : on** marque la continuation ; **go on, do not stop!**
6. **peep at :** *regarder par une ouverture, à la dérobée* ; **peep :** *regard furtif.*
7. **<u>as a</u> clerk :** *comme employé de bureau, en qualité d'employé...*
8. **e<u>n</u>emy** (un seul **n** en anglais) : *e<u>nn</u>emi.*
9. **nearby** (adj) : **neigbouring :** *avoisinant, voisin* ; **a neighbour** (3 l. plus bas).
10. **but :** (ici) **only** (*seulement, ne... que*)
11. **mean** [miːn] : **<u>meant</u>, meant :** (ici) **be of value, matter.**
12. **brighten up : make bright, illuminate.**
13. **come across : meet, met, met.**

C'était un soir d'avril, froid, mais malgré tout, la jeune fille de dix-huit ans se tenait derrière le portail de fer comme elle le faisait chaque jour, hormis le samedi et le dimanche. Le portail était plein d'impacts de balle. C'était la guerre. À travers l'un d'eux, au niveau de sa tête, elle jetait un coup d'œil à un très beau jeune homme qui revenait de son travail (il était employé dans un bureau par l'ennemi, dans une grande ville voisine). Ce n'était qu'un coup d'œil, bien sûr, mais d'une telle importance pour elle, dont c'était le premier amour, suffisant pour illuminer sa vie, pleine d'espérance et d'inquiétude mêlées.

Les deux jeunes gens étaient voisins depuis peu et ils s'étaient rencontrés seulement quelques fois mais cela avait suffi amplement à créer bien des émois dans le cœur de la jeune fille craintive. Comment pourrait-elle exprimer les profonds sentiments qui l'envahissaient avec tant de force et une telle persistance ?... Seraient-ils partagés ?...

Un soir, après avoir jeté maints et maints coups d'œil à travers le portail, oubliant toute sa timidité naturelle, elle prit une folle décision. Elle cueillerait une fleur dans le jardin. Elle tendrait l'oreille à l'approche des pas. Elle forcerait l'attention de son bien-aimé en passant une rose dans l'un des trous, une rose rouge aux pétales charnus et lustrés, la plus belle de toutes, qu'elle choisirait dans le secret. Dieu sait que le jardin de son père avait été florissant par cette fin d'avril !

---

14. **fluttering** de **flutter**, *palpiter* (cœur).

15. **timid** : *timide, craintif*; **shy** : *timide, gêné, mal à l'aise*; **bashful** : *timide, qui manque de confiance*; **coy** : *qui fait le* ou *la timide.*

16. **the latter** : *cette dernière* (déjà nommée « **young girl** ») ; le contraire : **the former** (*la première*) (aussi : *celle-ci, celle-là* ; *celui-ci... celui-là*).

17. **made** ou **took a ... decision.**

18. **listen... for** (+ complément) : *guetter* (en écoutant); **listen to** (+ complément) : *écouter.*

19. **by thrusting** : **by** + v. + **ing** indique le moyen, la méthode pour faire qqch ; **you'll force his attention by speaking louder** (en parlant plus fort).

20. **one** : souvent employé pour éviter une répétition (ici **rose**).

21. **how generous her father's garden had been...!** : (forme affirmative, exclamative) à ne pas confondre avec **how** interrogatif : **how old is she?**

22. **late April** : **at the end of April** ; le contraire : **early April.**

On a Friday evening—the young fellow was likely to walk back[1] home more leisurely[2]—she would launch into her daring adventure.

The day came when things might[3] happen which she dared not hope for[4]. With pounding heart she waited with the flower in her trembling hand. She would thrust it in the nick of time through the hole[5] she had carefully selected beforehand. A mad enterprise!

Ten minutes to seven... Five minutes to... Five past... Dead silence[6]. The birds themselves, nestling[7] in the shrubbery[8], lining the drive that led from the house to the gate, kept mute in sympathy[9], as if they were doing their very best to assist[10] the girl in her desire not to miss[11] the approaching footfalls. Ten past... Longingly[12] did the lass wait thus for many many more endless minutes. To no avail. She trudged back to the house mournfully, casting away the rose into the dark bushes on the way. She would keep the secret all to herself forever as if in shame. Was it a punishment of the gods for such audacity? Was she doomed to live a lonely[13] life? The girl was a prey to all sorts of wild[14] conjectures.

Shortly after, the whole neighbourhood was all agog. The young man had turned out[15] to be a spy; he had been caught in the act by the enemy like a rat in a trap, tortured and... So rumour had it[16], and, anyway, nobody was ever to see him thereafter.

---

1. **the young fellow <u>was likely to</u> walk** : expression de la probabilité : **he <u>is</u> likely to come** : *il y a des chances qu'il vienne.*

2. **leisurely** : *tranquillement, sans se presser* (**unhurriedly**).

3. **might** exprime une éventualité (présent **may**).

4. **<u>dared not</u> hope for** : **dare** (*oser*) et **need** (*avoir besoin de*) fonctionnent comme des auxiliaires modaux (**can, may, must**) surtout dans les phrases négatives et interrogatives : **you <u>need not</u> come** : *tu n'as pas besoin de venir.*

5. **the hole** (which) **she had...** : suppression courante de **which** et **whom**, relatifs compléments d'objet direct.

6. **<u>dead</u> silence : complete silence.**

7. **nestling : a nest** : *un nid.*

8. **shrubbery** : *massif d'arbustes* (**shrubs** ou « **bushes** » 6 l. plus bas).

9. **sympathy** : *compassion* ; **sympathetic** : *compatissant* ; **nice, likeable** : *sympathique.*

10. **to assist** (faux ami) : **to help** ; **to attend** : *assister à.*

Un vendredi soir (le jeune homme rentrerait probablement d'un pas moins pressé), elle se lancerait dans son audacieuse aventure.

Vint le jour où pourraient se passer des choses qu'elle n'osait espérer. Le cœur battant la chamade, elle attendit, tenant la fleur dans sa main tremblante. Elle l'enfilerait juste à temps à travers l'impact qu'elle avait choisi soigneusement à l'avance. Entreprise téméraire !

Sept heures moins dix... Moins cinq... Sept heures... Sept heures cinq... Silence de mort. Les oiseaux eux-mêmes, nichés dans les arbustes qui bordaient l'allée menant de la maison au portail, se retenaient de chanter, compatissants, comme s'ils faisaient de tout leur mieux pour aider la jeune fille dans son désir de ne pas manquer le bruit des pas. Sept heures dix... Ainsi la jeune fille, brûlant d'impatience, attendit encore pendant des minutes et des minutes, interminables. En vain. D'un pas pesant, elle retourna vers la maison, éplorée, jetant, chemin faisant, la rose dans les arbustes sombres. Elle garderait pour elle le secret à jamais comme si elle en avait honte. Était-ce une punition des dieux pour avoir fait preuve d'une telle audace ? Était-elle condamnée à vivre une vie de solitude ? La jeune fille était en proie à toutes sortes de folles conjectures.

Peu de temps après, le quartier tout entier était en émoi. Il s'était avéré que le jeune homme était un espion. Il avait été pris sur le fait par l'ennemi, capturé comme un rat dans un piège, torturé puis... Ainsi courait la rumeur et, quoi qu'il en fût, personne ne devait jamais plus le revoir.

---

11. **not to miss** : infinitif négatif (**To be or not to be...**) (ordre des mots !)

12. **long(ingly) for** : *soupirer après*; **longingly did the lass wait** : l'adverbe en tête de phrase (pour insister) entraîne la forme interrogative du verbe ; de même avec **never, not only, hardly** (*à peine*) : **never have I said such a thing!**

13. **lonely** : **unhappy to be alone** (*seul*).

14. **wild** : (ici) **extravagant, foolish (remember she made a "rash" decision)**.

15. **turn(ed) out** : *se révéler* (être) ; **as it turned out** : *comme l'a montré la suite des événements.*

16. **rumour had it** : **have** a ici le sens de « *exprimer, formuler, dire* » ; **as the Bible has it** : *comme le dit la Bible.*

5

Helen Hunt Jackson

Choice of Colors

Choix de couleurs

Helen Hunt Jackson (1830-1885) est née à Amherst, dans le Massachusetts. Elle a consacré plusieurs romans aux Amérindiens. Elle est surtout connue pour *Ramona* qui parle des mauvais traitements que cette population a subis dans le sud de la Californie.

The other day, as I was walking on one of the oldest and most picturesque[1] streets of the old and picturesque town of Newport, R.I., I saw a little girl standing[2] before[3] the window of a milliner's shop.

It was a very rainy day. The pavement of the side-walks[4] on this street is so sunken and irregular that in wet weather[5], unless one walks[6] with very great care, he steps continually into small wells[7] of water. Up to her ankles in one of these wells stood the little girl, apparently as unconscious as if she were[8] high and dry before a fire. It was a very cold day too[9]. I was hurrying along, wrapped in furs[10], and not quite warm enough even so[11]. The child was but thinly clothed[12]. She wore an old plaid shawl and a ragged knit hood of scarlet worsted. One little red ear stood out unprotected by the hood, and drops of water trickled[13] down over it from her hair. She seemed to be pointing with her finger at articles in the window[14], and talking to some one inside. I watched her for several moments, and then crossed the street to see[15] what it all meant. I stole[16] noiselessly[17] up behind her, and she did not hear me. The window was full of artificial flowers, of the cheapest[18] sort, but of very gay colors[19]. Here and there a knot of ribbon or a bit of lace had been tastefully added, and the whole[20] effect was really remarkably gay and pretty.

---

1. **the oldest and (the) most picturesque** : superlatif de l'adj. court et de l'adj. long mais **the least old** et **the least picturesque** (*le moins...*).

2. **I <u>saw</u> a girl standi<u>ng</u>** : v + **ing** après les verbes de perception (**see, hear, feel**) si l'action dure un certain temps.

3. **before the window** ou **in front of the window**.

4. **side-walk(s), sidewalk(s)** (US), **pavement** (GB).

5. **<u>in</u> wet weather** ; **wet** : *humide.*

6. **one walks** : **one** est ici un des équivalents du *on* français. **One likes to enjoy peace in one's own home** : *on aime vivre en paix dans sa maison.*

7. **well(s)** : (sens plus courant) *puits.*

8. **as if she <u>were</u>** : **were** est ici un subjonctif.

9. **It was a very cold day <u>too</u>** : **too** (*aussi, également*), placé en fin de phrase, a un sens fort (*qui plus est*).

10. **wrapped <u>in</u> furs** (ce qui est logique).

L'autre jour, comme je longeais une des rues les plus vieilles et les plus pittoresques de la vieille et pittoresque ville de Newport, dans l'État de Rhode Island, je vis une petite fille qui se tenait devant la vitrine d'une modiste.

C'était un jour où il pleuvait beaucoup. Le revêtement des trottoirs de cette rue est tellement affaissé et irrégulier que, par temps humide, à moins d'avancer avec une très grande prudence, on marche continuellement dans de petites flaques. L'eau jusqu'aux chevilles, la petite fille se tenait dans l'une de ces flaques, apparemment aussi insensible que si elle eût été assise au sec devant un feu de cheminée. Qui plus est, il faisait très froid. J'allais d'un bon pas, enveloppée de fourrures, et malgré cela, je n'avais pas trop chaud. L'enfant était peu couverte. Elle portait un vieux châle en tissu écossais et une capuche tricotée, écarlate, en loques, faite de laine peignée. Une petite oreille rouge émergeait de la capuche, exposée à la pluie, et des gouttes tombaient dessus, qui coulaient de ses cheveux. La fillette semblait pointer du doigt des articles exposés dans la vitrine et s'adresser à quelqu'un de la boutique. Je l'observai pendant de longues minutes puis traversai la rue pour voir de quoi il retournait. Sans bruit je me glissai derrière elle et elle ne m'entendit pas. La vitrine était pleine de fleurs artificielles des plus communes mais aux couleurs les plus gaies. Ici et là, un nœud de ruban ou un morceau de dentelle avait été ajouté avec goût et le tout était d'un effet remarquablement joli et rayonnant.

---

11. **even <u>so</u>** : **so** évite ici la répétition de **wrapped in furs.**

12. **but thinly clothed** : **but** a ici le sens de *seulement, ne... que*; **he is but a child** : *ce n'est qu'un enfant*; **thin(ly)** : *mince*; **to clothe** : *habiller, vêtir*; **clothes** : *vêtements.*

13. **trickle(d)** : (liquide) *dégoutter, tomber en un mince filet.*

14. **window** : **shop window.**

15. **<u>to</u> see, <u>in order to</u> see** : *pour voir, afin de voir* (expression du but, de l'intention).

16. **steal, stole, stolen** : (ici) *aller à pas furtifs ou feutrés, se faufiler* (comme un *voleur*; **to steal** : *voler*).

17. **noiselessly** (adv), **noiseless** (adj) ; **noise** (*bruit*).

18. **cheap(est)** : *bon marché* mais aussi de *qualité médiocre.*

19. **col<u>o</u>rs** (US), **col<u>ou</u>rs** (GB).

20. **whole** : **entire, complete.**

Tap, tap, tap, went the small hand against the window-pane; and with every tap the unconscious[1] little creature murmured, in a half-whispering, half-singing voice, "I choose[2] *that* color." "I choose *that* color." "I choose *that* color."

I stood motionless[3]. I could not see[4] her face; but there was in her whole attitude and tone the heartiest[5] content and delight. I moved a little to the right, hoping to see her face, without her seeing me; but the slight movement caught her ear, and in a second she had sprung[6] aside and turned toward[7] me. The spell was broken. She was no longer the queen of an air-castle[8], decking herself in all the rainbow hues which pleased[9] her eye. She was a poor beggar child, out in the rain, and a little frightened at the approach of a stranger[10]. She did not move away, however; but stood eyeing[11] me irresolutely, with that pathetic mixture of interrogation and defiance in her face which is so often seen in the prematurely developed faces of poverty-stricken[12] children.

"Aren't the colors pretty?" I said. She brightened[13] instantly.

"Yes'm. I'd like a goon av thit blues[14]."

"But you will take cold standing in the wet," said I. "Won't you come under my umbrella?"

---

1. **unconscious** : (adj) **unaware, unknowing.**
2. **choose, chose, chosen : select.**
3. **motionless : without moving**; (**motion** : *mouvement*) ; sens du suffixe **-less : childless** : *sans enfants* ; **pitiless** : *sans pitié* ; **homeless** : *sans abri...*
4. **I could not see : can** est souvent employé avec les verbes de perception (**see, hear, feel**) ; **can you hear the bell?** *est-ce que tu entends la cloche ?*
5. **the heartiest : hearty : strong, absolute ; hearty dislike** : *véritable dégoût.*
6. **spring, sprang** ou **sprung, sprung** : *bondir, sauter.*
7. **toward** (US), **towards** (GB).

Toc, toc, toc, faisait la petite main contre la vitre et, à chaque coup frappé, l'enfant, sans s'en rendre compte, murmurait à mi-voix, d'un ton presque chantant :

— Je choisis cette couleur-là. Je choisis cette couleur-là. Je choisis cette couleur-là.

Je demeurais immobile. Je ne voyais pas son visage mais il y avait dans toute son attitude et dans le timbre de sa voix le contentement le plus parfait et la joie la plus franche. Je m'avançai un peu sur la droite, espérant apercevoir son visage sans être vue mais elle m'entendit effectuer ce léger mouvement et, en l'espace d'une seconde, elle bondit de côté et se tourna vers moi. Le charme était rompu. Elle n'était plus la reine d'un château imaginaire, occupée à se parer de toutes les couleurs de l'arc-en-ciel qui flattaient son regard. Elle était une petite enfant pauvre sous la pluie, légèrement apeurée par l'approche d'une inconnue. Elle ne s'éloigna pas pour autant mais elle resta, indécise, à me dévisager, la mine empreinte d'un mélange pathétique d'interrogation et de défi, tel qu'on l'observe si souvent sur la face prématurément vieillie des enfants de la misère.

— Elles sont belles, ces couleurs, hein ? lui dis-je.

Son visage s'illumina instantanément.

— Oui, m'dame. J'aimerais avoir une robe dans c' bleu-là.

— Mais tu vas prendre froid à rester là sous la pluie. Tu ne veux pas venir sous mon parapluie ?

---

8. **air-castle** : **to build castles in the air** : *bâtir des châteaux en Espagne.*

9. **please(d her eye)** : *plaire à, faire plaisir* à.

10. **a stranger** : *un(e) inconnu(e)* ; **a foreigner** : *un étranger* (d'un autre pays).

11. **eyeing** : **to eye** : *mesurer du regard, observer, examiner.*

12. **poverty-stricken** : *frappé* (**stricken**) *par la pauvreté* (**poverty**).

13. **brighten(ed)** : **become bright** (ici *gai, joyeux, rayonnant*).

14. **a goon av thit blue** (cela pour illustrer le milieu simple du personnage) : **a gown (dress) of that colour.**

She looked down at her wet dress suddenly, as if it had not occurred[1] to her before that it was raining. Then she drew first one little foot and then the other out of the muddy[2] puddle in which she had been standing and, moving a little closer to[3] the window, said, "I'm not jist goin' home, mem[4]. I'd like to stop[5] here a bit[6].

So I left her. But, after I had gone a few blocks[7], the impulse seized me to return by a cross street, and see if she were still there[8]. Tears sprang to my eyes[9] as I first caught sight[10] of the upright little figure[11], standing in the same spot, still pointing with the rhythmic finger to the blues and reds and yellows, and half chanting[12] under her breath[13], as before, "I choose *that* color." "I choose *that* color." "I choose *that* color."

I went quietly[14] on my way, without disturbing her again. But I said in my heart, "Little Messenger, Interpreter, Teacher[15]! I will remember you all my life."

Why should days ever be dark, life ever be colorless[16]? There is always sun; there are always blue and scarlet and yellow and purple.

---

1. **occur(red) to sb** : (ici) *venir à l'esprit de qqn* ; **to occur, to happen** : *arriver* (événement), *se produire.*
2. **muddy** ; **mud** : *boue.*
3. **close(r) to** : **very near.**
4. **I'm not jist going home, mem** : **I'm not going home just now, Madam** (l'orhographe évoque le parler populaire de la petite fille pauvre).
5. **stop** : (ici) **stay** (*rester*) ; **I'm late, I can't stop** : *je suis en retard, je ne peux pas rester.*
6. **a bit** : **a little.**
7. **block(s)** : (US) *pâté de maisons*; **the school is five blocks away** : *l'école est cinq rues plus loin.*
8. **if she were still there** : subjonctif exprimant une hypothèse.

Elle baissa tout à coup les yeux sur sa robe mouillée, comme si elle ne s'était pas encore rendu compte qu'il pleuvait. Puis elle sortit d'abord un de ses petits pieds puis l'autre de la flaque boueuse dans laquelle elle se tenait et, s'approchant légèrement de la vitrine, elle prononça :

— J' vais pas tout de suite chez moi, m'dame. J'aimerais rester ici encore un peu.

Je la laissai. Mais après avoir longé quelques rues, une impulsion me poussa à revenir par une voie transversale pour voir si elle se trouvait toujours là. Des larmes me montèrent soudain aux yeux dès que je vis la petite silhouette toute droite qui se trouvait au même endroit, pointant toujours du doigt, en cadence, les bleus, les rouges, les jaunes, et scandant à mi-voix, comme précédemment :

« Je choisis cette couleur-là. » « Je choisis cette couleur-là. » « Je choisis cette couleur-là. »

J'allai mon chemin discrètement, sans la déranger une nouvelle fois. Mais en mon for intérieur je me dis :

— Petit Messager ! Interprète ! Maître ! Je me souviendrai de toi toute ma vie.

Pourquoi faudrait-il que les jours soient toujours sombres, la vie dénuée de couleurs ? Il y a toujours le soleil et le bleu et l'écarlate et le jaune et le violet.

---

9. **tears sprang to my eyes** : **sprang** exprime l'idée de soudaineté (**to spring, sprang, sprung**, *jaillir*).

10. **sight** : vue ; **catch sight of sth** : **see sth** ; **catch, caught, caught.**

11. **figure** : (faux ami) *silhouette, chiffre* ; **face** : *figure, visage.*

12. **chant(ing)** : *chanter, réciter* ou *dire en chantant, psalmodier.*

13. **under her breath** : **in a low voice so that people cannot hear** ; **breath** : *haleine, souffle* ; **be out of breath** : *être essoufflé.*

14. **quietly** : **silently, noiselessly.**

15. **teacher** : *professeur* ; **to teach** : *enseigner.*

16. **why should... life ever be colorless?** : ever et non pas **never** (employé dans une phrase négative). **Have you ever been to America? No I have never been there.**

We cannot reach them, perhaps, but we can see them, if it is only[1] "through a glass," and "darkly[2]"—still[3]" we can see them. We can "choose" our colors. It rains, perhaps; and we are standing in the cold. Never mind[4]. If we look earnestly enough[5] at the brightness which is on the other side of the glass, we shall forget the wet[6] and not feel the cold. And now and then[7] a passer-by, who has rolled himself up in furs[8] to keep out the cold, but shivers[9] nevertheless— who has money in his purse to buy many colors, if he likes, but, nevertheless, goes grumbling because some colors are too dear for him—such a passer-by, chancing to hear our voice[10], and see the atmosphere of our content, may learn a wondrous[11] secret—that pennilessness[12] is not poverty, and ownership[13] is not possession, that to be without is not always to lack[14], and to reach[15] is not to attain; that sunlight is for all eyes that look up, and color for those who "choose."

---

1. **if it is only** ou **were it only.**
2. **"through a glass" and "darkly" (not clearly, as if in the dark)** : citations tirées de la première épître de l'apôtre saint Paul aux Corinthiens (XIII, 12).
3. **still** : (ici) *cependant, pourtant, malgré tout.*
4. **never mind : it is of no importance, it does not matter.**
5. **earnestly enough** : place de **enough** ! **earnestly : seriously, intensely.**
6. **the wet** : *l'humidité* ; par extension : *le temps pluvieux, la pluie.*
7. **now and then** ou **from time to time.**
8. **who has rolled himself up in furs** : cf "**wrapped in furs**" (début du texte).
9. **shiver(s)** : *trembler* (de froid) ; **shudder** : *trembler* (de peur, d'horreur).

Nous ne pouvons les atteindre peut-être mais nous pouvons les voir, ne serait-ce qu'« à travers une vitre » et « d'une manière confuse » mais nous les voyons. Nous pouvons « choisir » nos couleurs. Peut-être pleut-il, peut-être nous tenons-nous dans le froid. Qu'importe ! Si nous concentrons comme il faut notre attention sur la clarté qui règne de l'autre côté de la vitre, nous oublierons la pluie et nous serons insensibles à la baisse de la température. Et de temps en temps, un passant emmitouflé dans ses fourrures pour se protéger du froid mais frissonnant malgré tout, disposant d'assez d'argent dans sa bourse pour acheter de nombreuses couleurs si tel est son désir, mais néanmoins bougonnant parce que certaines couleurs sont trop chères à ses yeux, ce même passant, entendant par hasard notre voix et sondant la mesure de notre contentement, apprendra peut-être un secret merveilleux, à savoir qu'être sans le sou ce n'est pas être pauvre, qu'être propriétaire ce n'est pas posséder ; qu'être démuni ce n'est pas toujours être à cours, qu'arriver ce n'est pas aboutir, que l'éclat du soleil c'est pour tous les yeux qui se lèvent, que la couleur c'est pour ceux qui « choisissent ».

---

10. **chancing to hear our voice** : (**to chance**) **I chanced to meet him** : *je l'ai rencontré par hasard* ; **chance** (n.) *hasard* ; **luck** : *chance, veine.*

11. **wondrous** : **wonderful** (plus courant).

12. **pennilessness** : **the fact of being without a penny** ; rôle de **–less** ; le suffixe **–ness** indique l'état, la condition (ici le fait d'être sans un penny, *sans le sou*) ; **carelessness** : manque de *soin* (**care**), *négligence, insouciance* ; pour obtenir les contraires de ces mots on remplace **–less** par **–ful** : **carefulness** : *soin* ; (attention ! **full**, *plein*, a perdu un de ses **l** !).

13. **ownership** : **state of being an owner** (*propriétaire*) ; **to own** : *posséder.*

14. **to lack** : *manquer de* ; **he lacks dignity** : *il manque de dignité.*

15. **to reach** : (mot à mot) *atteindre.*

6

Franck R. Stockton

The Lady or the Tiger?

La Femme ou le tigre ?

Franck R. Stockton (1834-1902) est né est à Philadelphie. Son père, pasteur méthodiste éminent, le découragea d'embrasser une carrière d'écrivain. Jusqu'à la mort de celui-ci, il gagna sa vie comme graveur sur bois. La nouvelle ***The Lady or the Tiger?*** (dont une suite s'intitule ***The Discourager of Hesitancy***) est extraite du recueil intitulé ***The Lady or the Tiger and Other Stories.***

In the very olden [1] times, there lived a semibarbaric king. Although some of his ideas had been improved [2] by his close [3] contact with his more civilized neighbors [4], he himself was still [5] barbaric in many ways. He was quite [6] selfish [7] and when everything went according to his way of thinking, he felt satisfied and pleased with himself [8]; but when anyone [9] dared to oppose him [10], that person might not live long.

One of the ideas he had borrowed from [11] a pagan country was the arena. He did not use the arena as a place [12] of pleasure, but strangely as a court of justice. The method of justice this semibarbaric king thought up [13] was to decide who was guilty [14] and who was innocent purely on the basis of chance.

When a person was accused of a crime [15], he was arrested [16] immediately and brought to the arena. Then a public announcement was made that a trial would be held [17].

When all the people had found their seats, and the king and his court were in the place of honor, he gave a signal. Then a door opened [18] below him. The accused person had to [19] walk out onto the arena. Directly opposite him, on the other side of the arena, were two doors, exactly alike [20] and side by side.

---

1. **olden** : **old, ancient.**
2. **improve(d)** : *améliorer* ; **improvement** : *amélioration.*
3. **close** (adj) : **a close relation** : *un proche parent.*
4. **neighbor** (US) : **neighbour** (GB) ; **neighbo(u)rhood** : *voisinage.*
5. **still** (ici) : encore (idée de continuation, d'où « *demeurait* »).
6. **quite** : *tout à fait, parfaitement, complètement.*
7. **selfish** : on trouve ici le **self** des pronoms réfléchis : **myself** (*moi-même*), **yourself** (*vous-même*) et au pluriel : **themselves** : *eux-mêmes.*
8. **pleased with himself.**
9. **anyone, anybody** : **any** à la forme affirmative dans le sens de *n'importe* ; **any doctor will tell you that** : *n'importe quel docteur vous dira ça.*
10. **oppose him** : sans préposition ! (*s'opposer à lui*).
11. **borrow(ed) from** : *emprunter à.*

En des temps très reculés, vivait un roi à moitié barbare. Bien que certaines de ses idées fussent assainies par les relations étroites qu'il entretenait avec ses voisins plus civilisés, il demeurait, quant à lui, barbare à bien des égards. Il était très égoïste et, quand tout allait en conformité avec sa façon de penser, il se trouvait satisfait et content de lui mais quiconque osait s'opposer à sa volonté, alors celui-là pouvait ne pas vivre longtemps.

Une des idées qu'il avait empruntées à un pays païen était celle de l'arène. Il n'utilisait pas celle-ci comme lieu de réjouissances mais, curieusement, comme cour de justice. Le procédé judiciaire que ce roi semi-barbare avait inventé consistait à décider de la culpabilité ou de l'innocence, uniquement en fonction du hasard.

Quand une personne était accusée d'un délit, elle était arrêtée sur-le-champ et conduite à l'arène. On annonçait alors publiquement qu'un procès allait avoir lieu.

Quand tous les spectateurs avaient pris place et que le roi et sa cour étaient installés dans la loge d'honneur, celui-ci donnait le signal. Alors une porte s'ouvrait sous lui. L'accusé devait sortir dans l'arène. Exactement en face de lui, de l'autre côté de cette arène, se trouvaient deux portes, parfaitement identiques, à proximité l'une de l'autre.

---

12. **as a place..., as a court ; I like him as an artist but not as a man :** *je l'aime bien en tant qu'artiste mais pas en tant qu'homme.*

13. **the method (which) this... king thought up** : suppression très fréquente du relatif complément ; **think up : invent** (la particule adverbiale modifie le sens du verbe, parfois considérablement) : **put up sb** : *héberger qqn.*

14. **guilty** : *coupable,* de **guilt**, *culpabilité.*

15. **a crime : a violation of law** (*loi*), **an act punishable by law, an offence.**

16. **arrested (by the police), apprehend by legal authority.**

17. **held : hold, held, held** : *tenir.*

18. **opened** : (ici) *s'ouvrir* (sans réfléchi en anglais).

19. **had to : have to** remplace fréquemment **must**, auxiliaire modal, notamment lorsqu'une obligation vient de l'extérieur (la volonté du roi ici).

20. **alike : similar** ; (**like** : *comme* ; **look like** : *ressembler*).

It was the duty of the accused to walk over to these doors and open one of them. He could open whichever[1] door he pleased. His fate was determined by chance. If he opened the wrong[2] door, out came a hungry tiger, the most cruel beast that could be found, that sprang[3] upon him and tore[4] him to pieces as punishment for his crime. The moment[5] the case had been decided in that way[6] great iron bells rang out and the hired[7] mourners[8] set up[9] a wail[10] for the dead person. The people then left the arena, commenting that it was too bad that one so young or one so old should have to die[11] in such cruel manner[12].

But if the accused person opened the other door, there came forth from it a lady, young and fair[13], an award[14] for the accused person's innocence. It did not matter it the accused person already had a wife and family or that he owed[15] his love to a person of his own[16] choice; he had to marry the lady[17]. Then another door opened beneath the king, and a priest followed by a group of singers and dancing maidens[18] blowing[19] golden[20] horns advanced to where the pair stood, side by side. At that moment the wedding took place. Then the brass bells rang happily. The people shouted their joy and the innocent man led his bride home.

---

1. **which*ever* ou whichso*ever*** : (intensif) *quelle qu'elle soit* (d'où *absolument* dans la traduction).

2. **wrong**, contraire de **right** : **the right man in the right place** : *l'homme qu'il faut à la place qu'il faut* (à ne pas confondre avec **good** et **bad**).

3. **spring, sprang** ou **sprung, sprung** : *bondir, sauter brusquement.*

4. **tear, tore, torn** : *déchirer.*

5. **moment** : *instant* (ici) ; **one moment please** : *un instant s'il vous plaît,* (au téléphone) *ne quittez pas.*

6. **way** : (ici) **manner, method** ; **you did it the wrong way** : *vous ne l'avez pas fait comme il faut* (cf n 2).

7. **hire(d)** : *engager* (du personnel), *embaucher.*

8. **mourn(ers)** : personne qui suit un convoi funèbre ; **mourn for the loss of a brother** : *pleurer la perte d'un frère* ; **mournful** : *affligé, éploré.*

9. **set up, set, set** : **begin to organize sth.**

Il était du devoir de l'accusé de se rendre jusqu'à ces deux portes et d'ouvrir l'une d'elles. Il pouvait ouvrir absolument celle qu'il voulait. Son sort était déterminé par le hasard. S'il ouvrait la mauvaise porte, un tigre affamé (l'animal le plus cruel que l'on pût trouver) en sortait, se jetait sur la victime et la mettait en pièces, la punissant ainsi de son forfait. Dès que l'affaire avait ainsi été conclue, de grosses cloches de fer sonnaient à toute volée et les pleureuses à gages se mettaient à gémir en l'honneur du défunt. Les gens quittaient alors l'arène, observant que c'était malheureux que quelqu'un de si jeune ou de si vieux dût mourir d'une manière si cruelle !

Mais si l'accusé ouvrait l'autre porte, il en sortait une femme jeune et belle, récompense destinée à l'accusé pour son innocence. Peu importait que l'accusé eût déjà une épouse et des enfants ou qu'il eût promis son amour à une personne de son propre choix ; il devait épouser ladite femme. Puis une autre porte s'ouvrait sous le roi et un prêtre, suivi d'un groupe de chanteurs et de jeunes danseuses soufflant dans des trompettes d'or, avançait jusqu'à l'endroit où se tenaient côte à côte les deux promis. C'est alors que le mariage avait lieu. Ensuite les cloches de cuivre sonnaient joyeusement. Les spectateurs criaient leur joie et l'homme, innocent, conduisait son épousée dans sa demeure.

---

10. **wail** : **lament, lamentation, weeping.**

11. **should have to die (such was the king's decision.**

12. **in such a cruel manner** (**way**) : position de l'article avec **such.**

13. **fair** (ici) : **beautiful,** aussi « *blond* » ; **fair-haired** : *aux cheveux blonds.*

14. **an award** : article indéfini devant un nom en apposition ; **Ian, a doctor in Preston, has a good reputation** (*Ian, docteur à Preston...*).

15. **owe(d)** : *devoir* (de l'argent, de la reconnaissance...).

16. **own** : *propre, personnel* ; **this is my own house, I am not a tenant!** Cette *maison est à moi, je ne suis pas locataire* ! **To own, to possess.**

17. **he had to marry the lady.**

18. **maiden(s)** (littéraire) : *jeune fille, vierge.*

19. **blow(ing), blew, blown.**

20. **golden** : *en or* ; **wooden** : *en bois* ; **silken** : *de* ou *en soie.*

The king thought he was perfectly fair[1] in all this. The accused did not know out of which door[2] the lady would come. He opened whichever door he pleased without having the slightest idea[3] whether he would be devoured or married.

The king had a daughter, young and beautiful, the apple of his eye. She was like her father in many ways, selfish, haughty, and little given to kindness. In the king's court was a young man, handsome and brave[4], who had fallen in love with the royal maiden. The princess was well satisfied with her[5] lover, for he was the most handsome and bravest man in all the kingdom[6].

One day[7] the king discovered the love affair. He did not wait. He had the youth thrown[8] into prison, and announced the day of his trial in the arena; never before had a subject dared[9] to love the daughter of a king.

The largest tiger that could be found was selected for the trial. The king had his kingdom searched[10] for a beautiful maiden, one who seemed best for the young man. The king took delight in making the arrangements[11]. He knew whatever happened the events would tell whether or not the young man had done wrong in making love to[12] the princess.

---

1. **fair** (ici) : *juste* ; **fair play** ; **fairness** : *équité, impartialité*.

2. **out of which door** : le relatif **which** indique ici une idée de choix ; **which novel did you prefer?** *quel roman as-tu préféré* ? (**which** interrogatif).

3. **the slightest idea** ou en style familier **the foggiest idea, the faintest idea.**

4. **brave** : (faux ami) **courageous, valiant** ; **nice, likeable** : *gentil, brave.*

5. **satisfied with** : *satisfait de.*

6. **the most handsome** and **(the) bravest in all the kingdom** : superlatif des adj longs et courts ; remarquez **in** ; **the best in the world** (*du monde*).

7. **one day** : pas a dans ces cas ; **he went away one morning in April.**

Le roi se croyait parfaitement juste dans toute cette affaire. L'accusé ignorait par quelle porte sortirait la femme. Il ouvrait la porte qu'il voulait sans avoir la moindre idée s'il serait dévoré ou marié.

Le roi avait une fille jeune et belle – la prunelle de ses yeux. Elle ressemblait à son père par bien des côtés – égoïste, hautaine, peu encline à la bonté. À la cour du roi, il y avait un jeune homme, beau et valeureux, qui était tombé amoureux de la fille du souverain. Celle-ci était parfaitement heureuse avec son prétendant car il était l'homme le plus beau et le plus valeureux de tout le royaume.

Un jour, le roi découvrit la liaison amoureuse. Il n'attendit pas. Il fit jeter le jeune homme en prison et annonça le jour de son procès dans l'arène. Jamais auparavant un de ses sujets n'avait osé courtiser la fille d'un roi.

Le tigre le plus gros que l'on pût trouver fut choisi pour le procès. Le roi fit explorer son royaume à la recherche d'une belle jeune fille, celle qui semblât la plus digne du jeune homme. Le roi se délecta à faire tous ces préparatifs. Il savait que, quoi qu'il arrivât, les événements diraient si oui ou non le jeune prétendant avait mal agi en faisant sa cour à la princesse.

---

8. **he had the youth thrown...** : **have** + participe passé d'un verbe : *faire faire qqch* (par qqn d'autre) ; **he had a house built** : *il s'est fait construire une maison* ; **a youth** : *un jeune* ; **youth** : *la jeunesse.*

9. **never... had a subject dared...** : **never** placé en tête (pour insister) entraîne la forme interrogative du verbe ; de même avec **not only** et **hardly** (*à peine*) : **not only did you say that but...** : *non seulement tu as dit cela mais...*

10. **the king had his kingdom searched** : cf n 8.

11. **took delight** (joy, pleasure) **in making the arrangements.**

12. **making love to** : **make love to** : sens archaïque ici ; sens moderne : *faire l'amour à* ou *avec.*

The day of the trial arrived. From far and near[1] the people came. The arena was filled[2] and many people stood outside. The king and his court were in their places. All was ready. The signal was given. The door beneath the king opened, and the lover of the princess walked into the open[3]. He was tall and fair. The people were surprised. No wonder[4] the princess had fallen in love with him! What a terrible thing[5] for him to be there!

As the youth walked into the arena, he turned toward[6] the king and bowed according to custom. But he did not think of[7] the king. His eyes were fixed upon the princess who sat to the right of her father.

It was a surprise that the princess was there. But from the moment the king had decided on[8] the trial, nothing would have kept her away. She had great power and influence of her own[9] among the king's subjects. She had learned[10] the secret of the doors. She knew in which[11] of the two rooms the tiger lay, and in which the lady waited. The princess not only knew in which room the beautiful lady waited, but she also knew who the lady was. She was one of the most beautiful ladies of the court, who had been selected as a reward[12] if the youth should be proved innocent of the crime he was accused of[13].

---

1. **from far and near** : (m. à m.) *de loin et de près.*

2. **fill(ed)** **with** (*rempli de*) mais **full** **of** (*plein de*).

3. **open** (n.) : *espace à l'air libre, plein air, endroit découvert* ; **sleep in the open** : *dormir à la belle étoile.*

4. **wonder** (ici) : *étonnement* ; **a matter of wonder** : *un sujet d'étonnement.*

5. **what a terrible thing** : **what** exclamatif + **a, an** + nom dénombrable (concret, singulier) ; exceptions : **what a pity** ! *quel dommage !* **what a shame!** *quelle honte !* **what a relief!** *quel soulagement !*

6. **he turned** (sans réfléchi !) ; **toward** (US) ; **towards** (GB).

7. **think of, thought, thought** : *penser à.*

8. **decided on** : *décider de.*

Le jour du procès arriva. De toutes parts les gens affluèrent. L'arène était comble et de nombreuses personnes durent rester dehors. Le roi et sa cour se tenaient à leur place. Tout était prêt. Le signal fut donné. La porte située sous le roi s'ouvrit et l'amoureux de la princesse apparut en public. Il était grand et beau. Les spectateurs furent surpris. Rien d'étonnant à ce que la princesse fût tombée amoureuse ! Quelle affreuse épreuve pour lui que de se tenir là !

Quand le jeune homme entra dans l'arène, il se tourna vers le roi et fit une courbette, conformément à la coutume. Mais il n'eut pas la moindre pensée pour le souverain. Ses yeux étaient rivés sur la princesse qui était assise à la droite de son père.

Il était surprenant que celle-ci se trouvât là. Mais dès l'instant où le roi avait décidé du procès, rien ne l'aurait tenue à l'écart. Elle jouissait personnellement d'un grand pouvoir et d'une grande influence auprès des sujets du roi. Elle avait eu connaissance du secret concernant les portes. Elle savait dans laquelle des deux pièces se trouvait le tigre et dans laquelle attendait la femme. La princesse savait non seulement dans quelle pièce attendait la belle femme mais elle savait également qui était celle-ci. C'était une des plus belles de la cour qui avait été choisie comme récompense si le jeune homme était déclaré innocent du délit dont il avait été accusé.

---

9. **influence of her own** : insistance sur l'appartenance ; **own** : *propre, personnel* ; **to own** : *posséder* ; **owner** : *propriétaire.*

10. **learned** : le verbe **learn** est le plus souvent régulier en américain (GB : **learn, learnt, learnt**).

11. **in which... the tiger lay, in which the lady waited... who the lady was** : différence de construction d'avec le français (pas d'inversion du sujet et du vebe en anglais). **Lay,** de **to lie, lay, lain,** *être allongé, se trouver.*

12. **as a reward** : comme récompense ; **as** : *comme, en tant que, en qualité de.*

13. **the crime he was accused of** : the crime **of which** he was accused (suppression du relatif complément indirect entraînant le rejet de la préposition à la fin de la proposition).

The princess despised[1] her, because often she had seen the admiring glances she gave[2] her lover, and sometimes she thought she saw her lover returning these glances. The princess was jealous, and she hated the woman who waited behind the silent door.

When her lover turned and looked at her and his eyes met hers as she sat there pale and white, he expected her to give him[3] a signal. He understood her character and he knew she would know the secret of the two doors. His question was answered quickly. She raised her right hand[4] and made a quick movement to her right.

He turned and with a rapid step walked across the empty space[5]. Every heart beat rapidly, every breath was held, and every eye was fixed[6] on the youth. He walked to the door on the right[7] and opened it.

Now[8], the point[9] of this story is this: did the tiger come out of that door, or did the lady[10]?

---

1. **despise(d) : disdain(ed).**

2. **the admiring glances** (**which**) **she gave** : suppression très courante des relatifs compléments **which** et **whom**, notamment en anglais oral.

3. **she expected her to give him** : proposition infinitive avec sujet sous fome de complément (**her**) avec **expect, want, prefer, like, love** : **I would like him to help me**; et, à la forme négative, remarquez la place de **not** : **I prefer them not to come**.

4. **She raised her right hand** : emploi du possessif devant les noms de parties du corps et de vêtements; **she entered the room with her hat on her head** : *elle entra dans la pièce le chapeau sur la tête*; ne pas confondre **raise** : *lever* et **rise, rose, risen** : *se lever*; **the sun rises early these days** : *le soleil se lève tôt ces jours-ci.*

La princesse la méprisait car elle avait souvent été témoin des coups d'œil admiratifs qu'elle avait adressés à son amoureux et parfois elle croyait avoir vu celui-ci les lui rendre. La princesse était jalouse et elle détestait la femme qui attendait derrière la porte entourée de silence.

Quand son amoureux se retourna, posa son regard sur elle, que ses yeux croisèrent les siens alors qu'elle se tenait là, le visage pâle, blême, il s'attendait à ce qu'elle lui fasse un signe. Il n'ignorait pas son caractère, il savait qu'elle devait connaître le secret des deux portes. Son regard lui posait la question : « Laquelle ? » La réponse ne se fit pas attendre. Elle leva le bras droit et fit un geste vif en direction de la droite.

Il se retourna et d'un pas accéléré traversa l'espace découvert. Tous les cœurs battaient la chamade, chacun retenait son souffle, tous les yeux étaient rivés sur le jeune homme. Il se dirigea vers la porte de droite et l'ouvrit.

Eh bien ! Toute la question que pose cette histoire est la suivante : qui du tigre ou de la femme est sorti par cette porte ?

---

5. **the empty space** : m. à m. *l'espace vide.*

6. **every breath was held... every eye was fixed...** : le passif est nettement plus employé en anglais qu'en français.

7. **on the right** : *à droite.*

8. **now** n'a pas ici le sens de *maintenant* mais c'est un exclamatif : *voyons !, eh bien !...* (souvent pour attirer l'attention du locuteur).

9. **point** : *point essentiel, sujet* ; **that's beside the point!** *ce n'est pas ce qui compte, c'est hors sujet.*

10. **or did the lady? (come out of that door?).**

7

Ambrose Bierce

An Arrest

Arrestation

Ambrose Bierce est né en 1842 dans l'Ohio. À l'âge de dix-neuf ans, il s'engagea dans l'infanterie et participa à la guerre de Sécession. À la fin des hostilités, il partit pour San Francisco et entama sa vie d'écrivain et de journaliste. Il a beaucoup écrit, mais sa réputation repose sur deux recueils de nouvelles, *Tales of Soldiers and Civilians* (1891) et *Can Such Things Be?* (1893), dont l'humour grinçant rappellerait Swift. Les circonstances de sa disparition au Mexique en 1914 demeurent mystérieuses.

Having murdered his brother-in-law[1], Orrin Brower of Kentucky was a fugitive from justice. From the county[2] jail where he had been confined to await[3] his trial he had escaped by knocking[4] down his jailer with an iron bar, robbing him of his keys and, opening the outer door[5], walking out into the night. The jailer being unarmed[6], Brower got no weapon with which to defend his recovered liberty. As soon as he was out of the town he had the folly to enter[7] a forest; this was many years ago[8], when that region was wilder than it is now.

The night was pretty dark, with neither moon nor stars[9] visible, and as Brower had never dwelt[10] thereabout[11], and knew nothing of the lay of the land, he was, naturally, not long in losing himself. He could not have said if he were[12] getting farther away from the town or going back to it—a most important matter[13] to Orrin Brower. He knew that in either case a posse[14] of citizens with a pack of bloodhounds would soon be on his track[15] and his chance[16] of escape was very slender; but he did not wish to assist[17] in his own pursuit. Even[18] an added[19] hour of freedom was worth having[20].

---

1. **brother-in law, sister-in law, mother-in-law...** ; **law** : *loi*.

2. **county** : (US) subdivision d'un état aux États-Unis.

3. **await** : relève de la langue écrite ; même sens que **wait for**.

4. **by knocking** : **by + v + ing** pour indiquer la manière dont on fait qqch.

5. **the outer door**, opposé à **inner door** : emploi du comparatif quand on compare deux objets ou personnes : **John is the taller of the two.**

6. **unarmed** : préfixe **un–** souvent employé pour former des antonymes ou contraires ; il existe aussi **in–** (**indistinct**) et **dis–** (**dissatisfied**).

7. **enter a forest, enter a room...** : pas de préposition !

8. **that was many years ago** : utilisé avec **ago**, le prétérit exprime combien de temps s'est écoulé depuis la fin de l'action ; **he came here five days ago.**

9. **neither moon nor stars** : équivalents de *ni... ni* ; et leurs contraires : **either... or** : *ou (bien)... ou (bien)*. **He'll come either on Monday or Friday.**

10. **dwell, dwelt, dwelt** : **live** (beaucoup plus courant).

11. **thereabout** (US), **thereabouts** (GB) : (adv) *pas loin, dans les environs.*

Ayant assassiné son beau-frère, Orrin Brower, originaire du Kentucky, était un fugitif cherchant à échapper à la justice. De la prison du comté où il avait été enfermé en attendant son procès, il s'était échappé en envoyant à terre son geôlier à l'aide d'une barre de fer, en le dépouillant de ses clefs, en ouvrant la porte donnant sur la rue et en filant dans la nuit. Le geôlier étant sans armes, Brower s'en trouva dépourvu pour conserver sa liberté retrouvée. Dès qu'il fut sorti de la ville, il commit la sottise de pénétrer dans une forêt. Cela remontait à des temps lointains, à l'époque où cette région était plus sauvage que de nos jours.

C'était une nuit passablement noire, sans lune ni étoiles visibles et, comme Bower n'avait jamais vécu dans ces alentours et ne connaissait rien de la configuration du terrain, il ne tarda évidemment pas à se perdre. Il lui aurait été impossible de dire s'il s'éloignait de la ville ou s'il y retournait – question primordiale pour Orrin Brower. Il savait que, dans les deux cas, un groupe constitué de citoyens accompagnés d'une meute de chiens policiers serait bientôt à ses trousses et que ses chances d'en réchapper étaient très minces ; mais il ne souhaitait pas les aider à le poursuivre. Ne fût-ce qu'une heure supplémentaire de liberté, cela était bon à prendre.

---

12. **if he were** : **were** est le subjonctif ici (il exprime le doute, l'hypothèse).

13. **a most important matter (question, point)** : emploi de l'article indéfini devant un nom en apposition ; **Oliver's father, a doctor in a small town, works very hard** : *le père d'Oliver, docteur dans une petite ville, travaille très dur.*

14. **posse** : (US) (autrefois) groupe d'hommes recrutés par un shérif pour l'aider à capturer un criminel.

15. **track** : *trace, piste* ; **you are on the right track** : *vous êtes sur la bonne piste.*

16. **chance** : (ici) *chance, des chances,* aussi *hasard* : **I met him by chance** : *je l'ai rencontré par hasard.*

17. **assist** : (faux ami) *aider* ; **attend** (*a class, a religious service...*) : *assister à.*

18. **even** : *même.*

19. **add(ed)** : *ajouter.*

20. **an hour... was worth having** ; **it's worth trying** : *ça vaut la peine d'essayer.*

Suddenly he emerged from the forest into[1] an old road, and there before him[2] saw, indistinctly[3], the figure of a man, motionless[4] in the gloom. It was too late to retreat: the fugitive felt that first movement back toward[5] the wood he would be, as he afterward explained, "filled with[6] buckshot." So the two stood there like trees, Brower nearly suffocated by the activity of his own[7] heart; the other—the emotion of the other are not recorded[8].

A moment later—it may have been an hour[9]—the moon sailed[10] into a patch of unclouded sky and the hunted man saw that visible embodiment[11] of law lift[12] an arm and point significantly toward and beyond him. He understood. Turning his back[13] to his captor, he walked submissively away in the direction indicated, looking to neither the right nor the left; hardly[14] daring to breathe[15], his head and back actually[16] aching[17] with a prophecy of buckshot.

Brower was as courageous a criminal as ever lived to be hanged[18]; that was shown by the conditions of awful personal peril in which he had coolly killed his brother-in-law. It is needless to relate them here; they came out at his trial, and the revelation of his calmness in confronting them came near to saving his neck[19].

---

1. **(and walked) into an old road** : **into** suffit ; rôle très important des prépositions et des particules adverbiales : **he walked out on to the balcony** : *il sortit sur le balcon* ; **he ran out** : *il sortit en courant.*

2. **before him** : **before** ne s'emploie pas que pour le temps (**Come before six**).

3. **indistinctly** : m. à m. 1. (ici) *vaguement.* 2. *indistinctement.*

4. **motionless** : sens du suffixe **-less** ; **homeless** : *sans abri* ; **jobless** : *sans travail.*

5. **toward, afterward** (US) ; **towards, afterwards** (GB).

6. **filled with** (*rempli de*) mais **full of** (*plein de*).

7. **own** : propre, personnel. **I paid with my own money not yours!**

8. **record(ed)** : *noter, enregistrer* (dans des *archives*, des *annales* : **records**).

9. **an hour, hour** étant un des rares mots anglais commençant par un **h** muet, avec **honour, honesty, heir** (*héritier*) et leurs dérivés pour n'en citer que quelques-uns.

Tout à coup, il sortit de la forêt, emprunta une vieille route et là, devant lui, il aperçut la vague silhouette d'un homme, immobile dans l'obscurité. Il était trop tard pour s'enfuir ; le fugitif comprit que dès le premier mouvement qu'il ferait pour se retourner et se diriger vers le bois, il serait, comme il l'expliqua ensuite « criblé de chevrotines ». Aussi les deux individus se tinrent là comme deux arbres, Brower suffoquant sous l'effet des battements de son cœur et l'autre – les réactions de l'autre ne sont pas mentionnées.

Un moment plus tard (une heure peut-être), la lune se glissa dans un coin de ciel sans nuages et l'homme traqué aperçut l'incarnation tangible de la Loi lever une arme et viser nettement dans sa direction et au-delà. Il comprit. Tournant le dos à l'individu cherchant à le capturer, il marcha, soumis, dans le sens indiqué, ne regardant ni à droite ni à gauche, osant à peine respirer, la tête et le dos en proie à une véritable douleur sous l'effet d'une fatidique décharge de chevrotines.

Brower était aussi courageux que n'importe quel criminel au monde voué à la pendaison ; cela fut démontré par les circonstances affreusement périlleuses qu'il connut personnellement, dans lesquelles il avait tué froidement son beau-frère. Il est inutile de les relater ici ; elles se révélèrent à son procès et la démonstration de son sang-froid à y faire face faillit bien lui sauver la peau.

---

10. **sail** : 1. *naviguer* ; 2. *se déplacer sans effort et avec grâce.*

11. **embodiment** : de **to embody** (**personify**, **represent**, **symbolize**, **stand for**).

12. **lift** et non **to lift** après un verbe de perception (**see, hear, feel**).

13. **turning his back** : emploi du possessif avec les noms de parties du corps et de vêtements. **Don't put your hands in your pockets!**

14. **hardly** ou **barely** ou **scarcely**.

15. **to breathe** mais **breath** (*souffle, haleine*).

16. **actually** (faux ami) ; **in actual fact** : *véritablement.*

17. **aching** : **to ache, to hurt, to be painful** : *faire mal* ; **my head aches**, *j'ai mal à la tête* (aussi **I have a headache**, plus courant).

18. **hanged**, s'agissant de pendaison, sinon **to hang, hung, hung**, au sens de *suspendre, accrocher.*

19. **came near to saving his neck** : **nearly saved his neck** (**his life**) ; **neck** = *cou.*

But what would you have?—when a brave[1] man is beaten, he submits[2].

So they pursued their journey jailward[3] along the old road through the woods. Only once did Brower venture[4] a turn of the head: just once, when he was in deep shadow and he knew that the other was in moonlight, he looked backward[5]. His captor was Burton Duff, the jailer, as white as death and bearing upon his brow[6] the livid mark of the iron bar. Orrin Brower had no further[7] curiosity.

Eventually[8] they entered the town, which was all alight[9], but deserted; only the women and children remained, and they were off the streets. Straight toward the jail the criminal held his way. Straight up to the main entrance he walked, laid[10] his hand upon the knob of the heavy iron door, pushed it open[11] without command, entered and found himself in the presence of a half-dozen[12] armed men. Then he turned[13]. Nobody else[14] entered.

On a table in the corridor lay the dead body[15] of Burton Duff.

---

1. **brave : courageous, valiant, fearless.**
2. **submit(s) :** *se soumettre.*
3. **jailward(s) : toward(s) the jail (prison)** (pas de **s** en américain !).
4. **once did Bower venture** : remarquez la construction du verbe avec l'adverbe en tête ; **never shall I do such a thing!**
5. **backward** (US), **backwards** (GB).
6. **brow : forehead** (plus courant).
7. **further** (comparatif de **far**) : (adj) *supplémentaire, complémentaire.* **Have you any further questions?** *Avez-vous d'autres questions ?*

Mais que voulez-vous !... Quand un homme brave est battu, il s'incline.

Les deux individus poursuivirent donc leur chemin en direction de la prison, suivant la vieille route, traversant les bois. À une seule reprise, Brower s'aventura à tourner la tête ; juste une seule fois il regarda en arrière quand il se trouva dans l'ombre épaisse et qu'il s'aperçut que l'autre se trouvait sous la lumière de la lune. L'homme qui le pourchassait était Burton Duff, le geôlier, pâle comme la mort, portant sur le front la marque violette de la barre de fer. Orrin Brower ne chercha pas à en savoir davantage.

Finalement ils entrèrent dans la ville, tout éclairée mais vide. Seuls les femmes et les enfants y étaient restés et ceux-ci avaient déserté les rues. Tout droit, en direction de la prison, le criminel poursuivit sa route. Tout droit en direction de la porte principale, il s'achemina, posa la main sur la poignée de la lourde porte de fer, la poussa sans qu'on le lui ordonnât, entra et se trouva en présence d'une demi-douzaine d'hommes armés. Puis il se retourna. Personne d'autre n'entra.

Sur une table, dans le couloir, reposait le cadavre de Burton Duff.

---

8. **eventually** (faux ami) : **in the end, ultimately** ; *éventuellement* se dit : **possibly, if necessary.**
9. **alight : lighted, lit ; light** : *lumière* ; **switch on the light** : *allumer.*
10. **lay, laid, laid** : *poser* (qqch) ; **lie, lay, lain** : *être couché, allongé.*
11. **push(ed) (it) open** : *ouvrir* (en poussant).
12. **a half-dozen : half a dozen** (plus courant).
13. **he turned** : *il se retourna.*
14. **nobody else** : *personne d'autre.*
15. **dead body** ou **corpse.**

8

Joseph Sheridan Le Fanu

The Earl's Hall

La Grande Salle du comte

Joseph Sheridan Le Fanu (1814-1843), de vieille souche normande, est né à Dublin. Il fit ses études de droit à Londres et à Trinity College à Dublin. Inscrit au barreau de cette ville, il n'exerça jamais (ou très rarement) sa profession d'avocat. Journaliste, il a, par contre, publié de nombreux articles, en particulier dans le *Dublin University Magazine*. Il a également écrit une quinzaine de romans dont *Uncle Silas* qui passe pour son chef-d'œuvre. On lui doit aussi une quarantaine de nouvelles, fantastiques pour la plupart (*Carmilla*, *Green Tea*, *The Familiar*, *Mr Justice Harbottle*, *The Room in the Dragon Volant*...) dont certaines ont été adaptées pour le cinéma et la télévision, quelques ballades irlandaises, dont la plus célèbre s'intitule *Shamus O'Brien*, et des poèmes.

The good governess had a particular liking[1] for the old castle[2], and when lessons were over[3], would[4] take her book or her work into a large room in the ancient[5] building, called the Earl's Hall. Here she caused a table and chair to be placed for her use[6], and in the chiaroscuro would so sit at her favourite occupations, with just a little ray of subdued light, admitted through one of the glassless[7] windows above her and falling upon her table.

The Earl's Hall is entered[8] by a narrow-arched[9] door, opening close to[10] the winding[11] stair. It is a very largeı[12] and gloomy room, pretty[13] nearly square, with a lofty vaulted ceiling, and a stone floor. Being situated high in the castle, the walls of which[14] are immensely thick, and the windows very small and few, the silence that reigns[15] here is like that of a subterranean cavern. You hear[16] nothing in this solitude, except perhaps twice[17] in a day, the twitter of a swallow in one of the small windows high in the wall.

This good lady having one day[18] retired to her accustomed solitude, was missed[19] from the house at her wonted[20] hour of return. This in a country house, such as Irish houses were in those days, excited little, surprise, and no harm[21].

---

1. **had a... liking : liked.**

2. **castle :** *château fort* mais **a château** (le long de la Loire..., etc.), désigné ici par **house** (où résident le seigneur et sa suite) ; **a house of cards :** *un château de cartes.*

3. **over : finished, ended.**

4. **would** et **will** (au présent) peuvent indiquer, comme ici, une habitude.

5. **ancient : very old.**

6. **use : what is the use of it?** *à quoi ça sert ?*

7. **glassless** : sens du suffixe –less (**childless**, *sans enfants* ; **useless**, *inutile...*).

8. **enter(ed) a room** : sans préposision !

9. **narrow-arched** : (m. à m.) *à la voûte étroite* ; adjectif composé avec un faux participe passé en **ed** ajouté à un nom : **black-hatted**, *au chapeau noir* ; **narrow-minded**, *à l'esprit étroit* ; **fair-haired**, *aux cheveux blonds.*

10. **close to : very near.**

11. **wind(ing), wound, wound** : *serpenter, faire des détours* ; **the road winds among pastures** : *la route serpente au milieu des pâturages.*

La bonne gouvernante aimait tout particulièrement le vieux château fort et, quand les leçons étaient terminées, elle portait son livre ou son ouvrage dans une vaste pièce de l'ancienne bâtisse, appelée « la grande salle du comte ». Elle y avait fait installer pour son usage une table et une chaise et, dans la pénombre, elle s'adonnait à ses occupations favorites, avec seulement un petit rayon de lumière tamisée filtrant à travers l'une des fenêtres sans carreaux située au-dessus d'elle et tombant sur sa table.

On pénètre dans la grande salle du comte par une porte étroite, cintrée, qui s'ouvre tout près de l'escalier tournant. C'est une vaste pièce obscure, presque carrée, à haut plafond en forme de voûte, au sol dallé. Se trouvant dans une partie élevée du château fort, dont les murs sont très épais et les fenêtres fort petites et peu nombreuses, le silence qui y règne est celui d'une caverne souterraine. On n'entend rien dans cette solitude, hormis peut-être deux fois dans une journée le gazouillis d'une hirondelle perchée sur l'une des petites fenêtres percées au sommet du mur.

La bonne dame s'étant un jour retirée dans sa solitude coutumière fut portée manquante dans la demeure seigneuriale, à l'heure habituelle de son retour. Cela, dans un château à la campagne tels qu'étaient ceux d'Irlande à cette époque, causa peu de surprise et n'augura d'aucun malheur.

---

12. **large** (faux ami) : *grand, vaste* ; **wide, broad** : *large.*

13. **pretty** (adv ici) : *assez, passablement, à peu près* ; **I feel pretty sure of it** : *j'en suis pratiquement sûr* ; **pretty** (adj) : *joli.*

14. **the walls of which** ou **whose walls** : traduction de *dont* pour les choses ; pour les personnes, seul **whose** s'emploie : **the boy whose book is new.**

15. **the silence that reigns** ou **the silence that <u>prevails</u>.**

16. **<u>you</u> (people in general) hear...** : un des équivalents de *on.*

17. **once, <u>twice</u>, three times, four times, five times...**

18. **one day** et non pas **a** dans ce sens.

19. **miss(ed)** : *remarquer l'absence de* ; **I miss you** : *vous me manquez.*

20. **wonted** : **customary, usual, habitual** (plus courants).

21. **harm** (ici) : *dommage* ; **come to no harm** : *s'en tirer sans dommages, ne rien (vous) arriver de grave.*

But when the dinner hour came, which was then, in country houses, five o'clock, and the governess had not appeared, some of her young friends, it being not yet winter, and sufficient light remaining to guide them through the gloom [1] of the dim [2] ascent and passages, mounted the old stone stair to the level of the Earl's Hall, gaily calling to her as they approached.

There was no answer. On the stone floor, outside [3] the door of the Earl's Hall, to their horror, they found her lying [4] insensible. By the usual means she was restored to consciousness; but she continued very ill, and was conveyed [5] to the house, where she took to her bed [6].

It was there and then [7] that she related what occurred to her [8]. She had placed herself, as usual, at her little work table, and had been either [9] working or reading—I forget which—for some time, and felt in her usual health and serene spirits. Raising her eyes [10], and looking towards the door, she saw a horrible-looking little man enter [11]. He was dressed in red, was very short [12], had a singularly dark face, and a most atrocious countenance [13]. Having walked some steps into the room, with his eyes fixed [14] on her, he stopped, and beckoning to her to follow, moved back toward [15] the door.

---

1. **gloom** : *ténèbres, obscurité*; **the gloom of a foggy November morning (nothing rejoicing!).**

2. **dim** : *faible* (lumière), *sombre* (pièce).

3. **outside** : (ici) *devant*; **I'll wait for you outside the cinema.**

4. **lying, standing, sitting...** : ceci pour exprimer les positions du corps.

5. **conveyed** : **carried** (plus courant).

6. **took to her bed** : **was forced to stay in bed**; **he's taken to his bed with the flu** : *il est alité avec la grippe.*

7. **there and then** ou **then and there** : *tout de suite, sur-le-champ.*

8. **what had occurred to her** : **what had happened to her**; également employé comme ceci : **it occurred to me that** : *il m'est venu à l'esprit que...*

Mais, quand arriva le moment du dîner, cinq heures à l'époque dans ces résidences, et que la gouvernante ne s'était pas présentée, certaines de ses jeunes amies, comme ce n'était pas encore l'hiver et qu'il faisait encore suffisamment jour pour qu'elles soient guidées au cours de leur ascension incertaine dans les passages ténébreux, gravirent le vieil escalier de pierre qui menait au niveau de la grande salle, l'appelant joyeusement à mesure qu'elles approchaient.

Aucune réponse ne vint. Sur le sol dallé, devant la porte de la vaste pièce, elles trouvèrent, absolument horrifiées, la gouvernante inanimée. À l'aide des moyens habituels, on la ranima mais elle resta très mal en point et on la transporta au château où elle dut s'aliter.

C'est là, sur-le-champ, qu'elle raconta ce qui lui était arrivé. Elle s'était installée, comme à l'accoutumée, à sa petite table de travail et s'était mise à l'ouvrage ou à la lecture – je ne me souviens plus exactement – depuis quelque temps, et se sentait en bonne forme, sereine et pleine d'entrain comme toujours. Levant les yeux et regardant en direction de la porte, elle vit entrer un petit homme d'aspect horrible. Habillé de rouge, minuscule, il avait un visage particulièrement sombre, à l'expression des plus atroces. Ayant fait quelques pas dans la pièce, l'œil rivé sur elle, il s'immobilisa et, lui faisant signe de le suivre, prit de nouveau la direction de la porte.

---

9. **either... or** : *ou* (*bien*)... *ou* (*bien*) : **neither... nor** : *ni ... ni.*

10. **raising her eyes** ou **looking up**.

11. **she saw a horrible-looking man enter** : verbe de perception (**see, hear, feel**) suivi de l'infinitif sans **to** ou du verbe + **ing** quand l'action implique une certaine durée : **Can you hear the birds singing in the tree?**

12. **short** s'applique aussi aux humains (s'agissant de leur taille).

13. **countenance** : **face, features, expression**.

14. **with his eyes fixed** : comparez avec la traduction.

15. **toward** (US), **towards** (GB) (et pourtant l'auteur est irlandais). Il est vrai que cette différence de graphie GB/US tend à disparaître en anglais d'aujourd'hui.

About half way again he stopped once more and turned[1]. She was so terrified that she sat staring at the apparition without moving or speaking. Seeing that she had not obeyed him[2], his face became more frightful and menacing, and as it underwent this change[3], he raised[4] his hand and stamped on the floor.

Gesture, look, and all, expressed diabolical fury. Through[5] sheer[6] extremity of terror she did rise[7] and, as he turned again, followed him a step or two in the direction of the door. He again stopped, and with the same mute[8] menace, compelled her again to follow him.

She reached the narrow stone doorway of the Earl's Hall, through which he had passed; from the threshold she saw him standing a little way off, with his eyes still fixed on her[9]. Again he signed[10] to her, and began to move along the short passage that leads[11] to the winding stair. But instead of following him further[12], she fell on the floor in a fit[13].

The poor lady was thoroughly[14] persuaded that she was not long to survive[15] this vision, and her foreboding proved true[16]. From her bed she never rose. Fever and delirium supervened[17] in a few days and she died[18]. Of course it is possible that fever, already approaching, had touched her brain when she was visited by the phantom[19], and that it had no external existence.

---

1. **turn(ed)** : *se retourner.*
2. **obeyed him** : sans préposition ! **Disobey sb** : *désobéir à qqn.*
3. **underwent this change** : (m. à m.) subit ce changement.
4. **raise(d)** à ne pas confondre avec **rise**, **rose**, **risen** : *se lever.*
5. **through** : (ici) *à cause de, par suite de* ; **it all came about through a misunderstanding** : *tout est arrivé à cause d'un malentendu.*
6. **sheer** : **pure and simple** ; **it was a sheer coincidence** : *c'était une pure coincidence.*
7. **she did rise** : forme emphatique ou d'insistance (emploi de **do, does, did** à la forme affirmative).
8. **mute** : **silent, speechless, wordless** mais **dumb** : *muet* (incapable de parler) ; **deaf-and-dumb** : *sourd-muet.*
9. **with his eyes still fixed on her** : cf la traduction.
10. **he signed** : **he made a sign or a gesture.**
11. **lead(s), led, led ; a leader.**

À peu près à mi-chemin, il s'arrêta une nouvelle fois et se retourna. Elle était tellement terrifiée qu'elle était demeurée assise, le regard fixé sur cette apparition, sans bouger ni parler. Constatant qu'elle ne lui avait pas obéi, l'homme afficha une mine plus terrible et plus menaçante et, au cours de cette transformation de son visage, il leva la main et frappa le sol de son pied.

Le geste, le regard, tout exprimait chez lui une colère diabolique. Sous le simple effet d'une terreur extrême, elle se leva effectivement et, comme il se retourna de nouveau, elle fit un pas ou deux vers la porte pour le suivre. Il s'arrêta une fois encore et, usant de la même menace et sans mot dire, la força de nouveau à marcher à sa suite.

Elle atteignit l'embrasure en pierre de la porte étroite de la grande salle par où l'homme était passé ; du seuil elle le vit qui se tenait un peu éloigné, les yeux toujours fixés sur elle. De nouveau il lui fit signe et se mit à avancer le long du court passage qui conduit à l'escalier tournant. Mais au lieu de continuer à le suivre, elle s'effondra sur le sol, victime d'une attaque.

La pauvre femme était parfaitement convaincue qu'elle ne survivrait pas longtemps à cette vision et sa prémonition se révéla être juste. Elle ne se releva jamais de son lit. La fièvre et le délire se manifestèrent au bout de quelques jours. Naturellement, il est possible que la fièvre, déjà menaçante, eût affecté son cerveau quand le fantôme lui avait rendu visite et que celui-ci n'eût aucune existence matérielle.

---

12. **further** ou **farther**, comparatif de **far** (*loin*) ; superlatif : **the farthest.**

13. **fit : convulsion, seizure, attack.**

14. **thoroughly : completely, utterly.**

15. **she <u>was</u> not long <u>to</u> survive : be to** + verbe exprime ici une fatalité, un événement prévisible, inéluctable (**a "foreboding"** : *un pressentiment, un présage*).

16. **prove(d) true** ou **prove(d) to be true** : *se trouver être vrai.*

17. **supervene(d) : occur, take place** (*avoir lieu, survenir*).

18. **she died** : ne pas confondre **to die** (*mourir*), **to be dead** (*être mort*), **death** (*la mort*).

19. **when she was visited by the phantom (the ghost, the spirit)** : la forme passive est bien plus souvent employée en anglais qu'en français.

9

Thomas Hardy

Absent-Mindedness in a Parish Choir

Distraction chez les musiciens d'une paroisse

Thomas Hardy (1840-1928) est né près de Dorchester. Il se prépare au métier d'architecte et l'exerce peu de temps, il est vrai, puis l'abandonne pour les lettres en 1867. Ses œuvres les plus connues sont, entre autres, *Tess of the D'Urbervilles* (porté à l'écran), *Jude the Obscure*, *The Mayor of Casterbridge* et *Wessex Tales*. Il y évoque le monde rural, paysan au milieu d'une nature (superbement dépeinte) hostile ou indifférente à la dure destinée de l'homme. Dans la majorité de ses grands romans Thomas Hardy situe l'action dans le Dorset de son enfance, dont il a gardé le vieux nom saxon de « Wessex ».

"It happened on Sunday[1] after Christmas-the last Sunday they ever played in Longpuddle church gallery, as it turned out[2] though they didn't know it then. As you may know[3], sir, the players formed a very good band[4]—almost as good as the Mellstock parish players that were led[5] by the Dewys; and that's saying a great deal[6]. There was Nicholas Puddingcome, the leader, with the first fiddle; there was Timothy Thomas the bass-viol man; John Biles, the tenor fiddler[7]; Dan'l Hornhead, with the serpent; Robert Dowdle, with the clarionet[8]; and Mr.Nicks, with the oboe—all sound[9] and powerful musicians, and strong-winded men[10]—they that blowed[11]. For that reason they were much in demand Christmas week for little reels and dancing parties; for they could turn a jig or a hornpipe out of hand[12] as well as ever they could turn out a psalm, and perhaps better, not to speak[13] irreverent. In short, one half-hour they could be playing a Christmas carol in the squire's hall to the ladies and gentlemen, and drinking tay[14] and coffee with 'em as modest[15] as saints; and the next, at the Tinker's Arms, blazing away[16] like wild horses with the Dashing White Sergeant to nine couple of dancers and more and swallowing[17] rum-and-cider hot as flame[18].

"Well, this Christmas they'd been out to one rattling[19] randy[20] after another every night, and had got next to no sleep at all.

---

1. **happen(ed)** (pour un événement), **take place** mais **he arrived at six.**
2. **as it turned out : as it happened in the end, in fact.**
3. **as you may know : may** dans le sens de la probabilité.
4. **band** mais **orchestra** en parlant de la musique classique.
5. **lead, led, led :** *conduire, mener* (cf **leader** deux lignes plus bas ; aussi a **conductor ; to conduct an orchestra** (en musique classique).
6. **a great deal :** *beaucoup.*
7. **fiddler :** *violoniste,* aussi (péjoratif) *violoneux* ; **fiddle :** *violon* ; on dit aujourd'hui : **violinist** et **violin.**
8. **clarionet** et, plus moderne, **clarinet.**
9. **sound : healthy, in good health, physically fit, strong.**
10. **strong-winded : with a strong wind** (*souffle, haleine*).
11. **they that blowed : those who played the winds,** *ceux qui jouaient des instruments à vent* ; **blow, blew, blown :** *souffler* (**blowed :** forme « populaire » incorrecte mais assez répandue).

Cela s'est passé le dimanche après Noël, le tout dernier dimanche où ils ont joué dans la tribune de l'église de Longpuddle, en fait, bien qu'ils ne s'en soient pas rendu compte sur le moment. Comme vous le savez peut-être, monsieur, les musiciens formaient un très bon orchestre, presque aussi bon que celui de la paroisse de Mellstock, dirigé par les Dewy. Et ce n'est pas peu dire. Il y avait Nicholas Puddingcome, premier violon, au pupitre. Il y avait Timothy Thomas, à la viole de gambe, John Biles au violon à cinq cordes, Dan'l Hornhead au serpent, Robert Dowdle à la clarinette et Mr. Nicks au hautbois. Tous d'excellents instrumentistes, solides, puissants, qui ne manquaient pas de souffle, en ce qui concerne les vents. Pour cette raison, ils étaient très demandés durant la semaine de Noël pour des petites soirées de danses écossaises et des bals car ils pouvaient vous exécuter une gigue ou une matelote au pied levé, tout aussi bien qu'un chant religieux et peut-être même mieux, sans vouloir être irrévérencieux.

Bref, ils pouvaient vous interpréter pendant une demi-heure un chant de Noël dans le manoir du châtelain devant ces dames et ces messieurs et boire du thé et du café avec eux et se faire doux comme des agneaux et, la demi-heure suivante, au Tinker's Arms, se déchaîner comme des chevaux emballés en jouant *Dashing White Sergeant* devant neuf couples de danseurs et plus et engloutir un mélange de rhum et de cidre qui vous jette du feu dans le corps.

Or, ce Noël-ci, ils étaient allés chaque soir de folles réjouissances en folles réjouissances et n'avaient pratiquement pas dormi.

---

12. **out of hand** : **off hand** (plus courant), **without preparation** : *à l'improviste, de but en blanc.*

13. **not to speak** : infinitif négatif; **to be or not to be** (ordre des mots !).

14. **tay** pour **tea** : l'auteur illustre ici, comme tout au long de la nouvelle, le dialecte et la pronciation du conteur.

15. **modest** : (faux ami ici) **reserved, retiring, quiet, meek.**

16. **blazing away** suggère une grande énergie ; **to blaze away** : *mitrailler, tirer sur* ; **to blaze** : *flamboyer, brûler.*

17. **swallow(ing)** : *avaler.*

18. **(as) hot as flame** : (m. à m.) *aussi brûlant qu'une flamme.*

19. **rattling** : *vif, alerte.*

20. **randy, spree** : *fête, bamboche, bombe.* (En anglais moderne, **randy** comme adjectif signifie *excité(e) sexuellement.*)

Then came Sunday after Christmas, their fatal day. 'Twas so mortal cold that year that they could hardly sit in the gallery; for though[1] the congregation down in the body of the church had a stove to keep off the frost, the players in gallery had nothing at all. So[2] Nicholas said at morning service[3], when 'twas freezing an inch an hour[4], please the Lord I won't stand this numbing[5] weather no longer[6]; this afternoon we'll have something in our insides[7] to make us warm if it cost a king's ransom[8].'

"So he brought a gallon[9] of hot brandy and beer, ready mixed, to church with him in the afternoon[10], and by keeping[11] the jar well wrapped up in Timothy Thomas' bass-viol bag it kept drinkably warm till they wanted it, which was just a thimbleful in the Absolution, and another after the Creed, and the remainder[12] at the beginning o' the sermon. When they'd had the last pull they felt quite comfortable[13] and warm, and as the sermon went on[14]—most unfortunately for 'em it was a long one[15] that afternoon—they fell asleep[16], every man jack of 'em[17] and there they slept on as sound as rocks[18].

"'Twas a very dark afternoon, and by the end of the sermon all you could see of the inside of the church were the parson's two candles alongside of him in the pulpit, and his soaking face behind 'em. The sermon being ended at last[19], the parson gied out[20] the Evening Hymn.

---

1. **(al)though** : *bien que, quoique.*

2. **so, in consequence, consequently, therefore.**

3. **service** (faux ami) : *office religieux* ; **office** : *bureau.*

4. **freezing an inch** (2,54 cm) **an hour** (ou **per hour**) : langage imagé (*il faisait si froid que l'eau se glaçait sur une épaisseur d'un pouce par heure !*)

5. **numb(ing)** (v) : *engourdir, transir* ; (adj) *engourdi, paralysé, gourd.*

6. **I won't... stand (bear) this... weather no longer** : le conteur n'est pas à une faute grammaticale près ! Une seule négation dans la phrase anglaise : **I won't stand this ... any longer** ou **I will stand this... no longer.**

7. **inside(s)** : (fam) *estomac, ventre.*

8. **a king's ransom** (*rançon*) : **a fabulous amount of money.**

9. **gallon** : quatre litres et demi (environ).

10. **in the afternoon, in the morning, in the evening.**

11. **by keeping** : by + verbe + **ing** exprime le moyen : **you succeed by working.**

Puis est arrivé le dimanche après Noël, journée qui leur fut fatale. Il faisait un froid si mortel cette année-là qu'ils pouvaient à peine supporter de rester dans la tribune. Les fidèles en bas, dans la nef, avaient un poêle qui les garantissait contre le gel mais les musiciens, là-haut, ne disposaient de rien du tout. Aussi Nicholas, à l'office du matin, alors que la température baissait de trois degrés par heure, avait déclaré : « S'il plaît à Dieu ! je ne supporterai plus ce froid qui nous engourdit. Cet après-midi, nous aurons quelque chose dans le ventre pour nous réchauffer, même si ça doit nous coûter une fortune. »

L'après-midi, il apporta donc à l'église un gallon d'un mélange bien chaud, tout prêt, d'eau-de-vie et de bière et, le récipient ayant été soigneusement enveloppé dans la housse à viole de gambe de Timothy Thomas, le liquide resta tiède et buvable jusqu'au moment où ils en eurent besoin – un simple dé à coudre à l'Absolution, un autre après le Credo et le reste au début du sermon. Quand ils eurent avalé la dernière gorgée, ils se sentaient tout à fait à l'aise et bien au chaud, et pendant que le sermon se poursuivait – fort malheureusement pour eux il fut long cet après-midi-là – ils s'assoupirent tous comme un seul homme. Et les voilà qui dormaient comme des souches !

Il faisait très sombre cet après-midi-là et, à la fin du sermon, tout ce que l'on pouvait voir de l'intérieur de l'église, c'étaient les deux bougies près du curé debout dans la chaire, et derrière elles, le visage de celui-ci, trempé de sueur. Le sermon enfin terminé, le pasteur annonça le cantique du soir.

---

12. **remainder ; to remain,** *rester.*
13. **comfortable** : (ici) **happy, contented.**
14. **went on : continued** (**on** marque la continuation).
15. **a long one** : **one** s'emploie pour éviter la répétition (de **sermon** ici).
16. **fell asleep** ou **went to sleep.**
17. **every man jack of (th)'em : every single one** (sans exception).
18. **... as sound as rocks** : langage plus imagé que **sleep soundly.**
19. **at last** ou, plus fort, **at long last** : *à la fin des fins.*
20. **gied = gived out** pour **gave out.**

But no choir set about[1] sounding up the tune, and the people began to turn their heads[2] to learn the reason why[3], and then Levi Limpet, a boy who sat in the gallery nudged Timothy and Nicholas, and said, 'Begin! Begin!'

"'Hey, what?' says[4] Nicholas, starting up; and the church being so dark and his head so muddled he thought he was at the party they had played at[5] all the night before, and away he went[6], bow and fiddle, at 'The Devil among the Tailors', the favorite jig of our neighborhood[7] at that time. The rest of the band, being in the same state of mind and nothing doubting, followed their leader with all their strength[8], according to custom. They poured out[9] that there tune[10] till the lower[11] bass notes of 'The Devil among the Tailors' made the cobwebs in the roof shiver like ghosts; then Nicholas, seeing nobody moved, shouted out as he scraped (in his usual commanding way at dances when folks didn't know the figures), 'Top[12] couples cross hands! And when I make the fiddle squeak at the end, every man kiss his pardner[13] under the mistletoe!'

"The boy Levi was so frightened that he bolted down[14] the gallery stairs and out homeward like lightning. The pa'son's hair fairly[15] stood on end when he heard the evil tune raging through the church; and thinking the choir had gone crazy[16], he held up his hand and said:

---

1. **set about** : **started** (plus courant).

2. **turn their heads** : après un possessif pluriel (**our, your, their**), le nom doit être au pluriel s'il désigne un objet qui n'appartient pas en commun aux différents possesseurs : **they came with their hats on their heads.**

3. **the reason why** : emploi logique de **why** (après **reason**).

4. **says** souvent employé pour **said** dans le parler populaire, en particulier quand on raconte une histoire.

5. **the party they had played at** : suppression du relatif entraînant le rejet de la préposition (**at** ici) (**the party at which they had played**).

6. **away he went** : la place de **away** en tête met en valeur la vigueur du chef d'orchestre !

7. **neighbourhood** : *voisinage, quartier, environs* ; **neighbour** : *voisin.*

8. **strength** : *force* ; **strong** : *fort* ; de même : **length** (*longueur*), **long.**

9. **pour(ed) out : express quickly, eagerly (passionately, wholeheartedly).**

Mais il n'y eut pas de musique pour entamer l'air et les fidèles commencèrent à tourner la tête pour en connaître la raison, puis Levi Limpet, un jeune garçon qui se tenait dans la tribune, donna un coup de coude à Timothy et Nicholas et dit :

— Commencez ! Commencez !

— Hein ! Quoi ? fit Nicholas en sursautant ; puis, l'église étant tellement sombre, et le chef ayant les idées si embrouillées, il crut qu'il se trouvait à la fête où ils avaient joué toute la nuit précédente ; le voilà donc lancé, archet et violon, sur l'air de *The Devil among the Taylors*, la gigue la plus en vogue dans le coin à l'époque. Les autres membres de l'orchestre se trouvant dans le même état et ne se doutant de rien, suivirent leur chef avec toute leur ardeur, comme à l'accoutumée. Ils interprétèrent ce morceau avec une telle fougue que les notes basses de *The Devil among the Taylors* firent trembler comme des fantômes les toiles d'araignée du toit. Puis Nicholas, voyant que personne ne bougeait, se mit à crier, tout en grattant du violon, de ce ton autoritaire qu'il avait habituellement au bal quand les danseurs ne connaissaient pas les figures :

— Couples de tête, croisez les mains ! Et quand je ferai grincer le violon à la fin, que tous les hommes embrassent leur cavalière sous le gui !

Levi, le jeune garçon, fut si effrayé qu'il descendit comme une flèche les escaliers de la tribune, sortit et fila vers sa maison comme un éclair. Les cheveux du curé se dressèrent littéralement sur sa tête quand il entendit l'air maudit retentir dans toute l'église et, pensant que les musiciens étaient devenus fous, il leva la main et déclara :

---

10. **that there tune** : parler populaire (**that tune**).

11. **lower** opposé à **higher** : compararatif, s'agissant de deux catégories ; **the right hand is the stronger one**.

12. **Top** : **top** et son contraire **bottom**.

13. **pardner** pour **partner** afin d'évoquer la prononciation locale du conteur.

14. **bolt**(**ed**) : *se précipiter comme l'éclair* (**bolt**) ; **bolted down... out...** : rôle très important des particules adverbiales en anglais.

15. **fairly, positively** (plus courant) : *carrément*.

16. **had gone crazy** : **had become mad**.

Stop, stop, stop! Stop, Stop! What's this? But they didn't hear'n for the noise[1] of their own playing, and the more he called the louder[2] they played.

"Then the folks came out of their pews[3], wondering[4] down to the ground[5], and saying: 'What do they mean by such wickedness[6]? We shall be consumed like Sodom and Gomorrah!'

"Then the squire came out of his pew lined wi'[7] green baize, where lots of lords and ladies visiting at the house were worshipping along with him[8], and went and stood in front of the gallery, and shook his fist[9] in the musicians' faces, saying,

'What! In this reverent edifice! What!'

"And at last they heart 'n through their playing, and stopped.

"Never such an insulting, disgraceful thing[10]—never[11]!" says the squire, who couldn't rule[12] his passion[13].

"Never!" says the pa' son, who had come down and stood beside him.

" 'Not if the angels of Heaven,' says the squire (he was a wickedish[14] man, the squire was, though now for once he happened to be[15] on the Lord's side)—not if the angels of Heaven come down, he says, shall one of you villainous[16] players ever sound a note in this church again, for the insult to me, and my family, and my visitors, and God Almighty, that you've a perpetrated this afternoon!'

---

1. **for the noise : because of the noise** (notez ce sens de **for**).

2. **the more... the louder** : équivalent de *plus... plus* ; le contraire : **the less... the less...**

3. **pew(s)** : *banc d'église* ; **bench** (terme général).

4. **wondering (asking themselves questions) : astonished.**

5. **down to the ground : completely.**

6. **wickedness** : *méchanceté, perversité, iniquité* ; **wicked** : 1. *coupable, immoral, pervers*. 2. *méchant, cruel*.

7. **line(d) wi' (with)** : *garnir, revêtir de* ; **line** : *doublure*.

8. **along with : come along with me**, *accompagnez-moi*.

9. **shook his fist** : emploi idiomatique du possessif devant un nom de partie du corps ou de vêtement ; **he came in with his hat on his head.**

10. **such an insulting... thing** : place de l'article avec **such**.

11. **never** ! (interjection ici) : *(ça n'est) pas possible !*

— Arrêtez ! Arrêtez ! Arrêtez ! Mais arrêtez ! Arrêtez ! Qu'est-ce que c'est que ça ? Mais ils n'entendirent rien en raison du bruit que faisait leur musique et plus le pasteur les apostrophait plus ils jouaient fort.

Ensuite les fidèles quittèrent leur banc, complètement abasourdis, interrogeant :

— Que veut dire cette infamie ? Nous allons être consumés comme Sodome et Gomorrhe !

Puis, à son tour, le châtelain quitta son banc tendu de flanelle verte, où de nombreux messieurs et dames venus lui rendre visite au château faisaient leurs dévotions en sa compagnie, alla se planter devant la tribune et brandit le poing à la face des musiciens et déclara :

— Comment ! Dans ce lieu saint ! Comment !

Ceux-ci finirent par l'entendre par-dessus leur musique et s'interrompirent.

— Ce n'est pas possible ! Une chose insultante à ce point ! si honteuse ! Ce n'est pas possible ! fit le châtelain qui ne pouvait contenir sa colère.

— Ce n'est pas possible ! reprit le curé qui était descendu de sa chaire et se tenait à côté de lui.

— Même si les anges du Ciel, proclama le châtelain (c'était un homme assez pervers que le châtelain, bien que, pour une fois, il se trouvât être du côté du Seigneur), même si les anges du Ciel descendent sur la terre, jamais un seul d'entre vous, scélérats de musiciens que vous êtes, ne jouera de nouveau une seule note dans cette église, après l'insulte que vous m'avez infligée cet après-midi, à moi, à ma famille, à mes invités et au Dieu Tout-Puissant !

---

12. **rule, control** : *maîtriser* (émotions...).

13. **passion** (faux ami ici) ; **fly into a passion** : *s'emporter* ; **be in a passion** : être furieux ; **a fit of passion** : *un accès de colère*.

14. **wicked<u>ish</u>** : **–ish** accolé à un adjectif exprime une idée d'approximation (*assez, plutôt*), notamment avec les adjectifs de couleur : **yellowish** : *jaunâtre*.

15. **<u>he</u> happened to be...** : notez cet emploi de **happen** ; **I happened to meet him in the street** : *je l'ai renconté par hasard dans la rue*.

16. **villainous** : *infâme, exécrable* ; **a villain** : *un scélérat, un traître*.

Then the unfortunate church band[1] came to their senses[2], and remembered where they were; and 'twas a sight[3] to see Nicholas Puddingcome and Timothy Thomas and John Biles creep[4] down the gallery stairs with their fiddles under their arms, and poor Dan'l Hornhead with his serpent, and Robert Dowdle with his clarionet, all looking as little as ninepins[5] and out they went[6]. The pa' son might have forgi'ed 'em[7] when he learned the truth o't, but the squire would[8] not. That very week[9] he sent for[10] a barrel-organ that would play two-and-twenty new psalm tunes, so exact and particular that, how-ever sinful[11] inclined you was[12] you could play nothing but[13] psalm tunes whatsomever[14]. He had a really respectable man to turn the winch, as I said, and the old players played no more[15]."

---

1. **band, choir** [kwaɪəʳ] dans le titre de la nouvelle, *chœur de chanteurs.*

2. **came to their senses; be out of one's senses** : *ne pas être dans son état* **normal; senses (sanity)** : *raison.*

3. **sight** : (ici) *vue, spectacle*; **she fainted at the sight of the blood** : *elle s'est évanouie à la vue du sang*; **love at first sight** : *coup de foudre.*

4. **creep, crept, crept** : *s'avancer, se glisser sans bruit* (premier sens : *ramper*) (d'où « *à pas de loup* » dans la traduction).

5. **as little as ninepins** : (m. à m.) *aussi petits que des quilles*; **go down like ninepins** : *tomber comme des mouches.*

6. **out they went** : **out** en début de phrase met l'accent sur la vivacité de l'action.

7. **might have forgi'ed** (dialecte pour **forgiven**) **'em (them)** : **might** exprime ici la possibilité, la probabilité; les auxiliaires modaux **can, may, must** n'ayant pas de participe passé, on a : présent ou passé de l'auxiliaire

Alors les membres de l'infortunée formation paroissiale revinrent à la raison et se rappelèrent où ils se trouvaient. Il fallait voir Nicholas Puddingcome, Timothy Thomas et John Biles descendre à pas de loup l'escalier de la tribune, le violon sous le bras, suivis du pauvre Dan'l Hornhead avec son serpent et de Robert Dowdle avec sa clarinette, se faisant tout petits les uns et les autres. Et les voilà sortis !

Le curé leur aurait peut-être pardonné en apprenant la vérité mais le châtelain ne voulait rien entendre. Dès cette semaine-là, celui-ci fit venir un orgue de Barbarie qui jouait vingt-deux chants religieux nouveaux, tellement parfait et tellement précis que, si enclin au péché que vous fussiez, vous ne pouviez interpréter uniquement que des psaumes. Il embaucha un homme parfaitement respectable pour tourner la manivelle, comme je l'ai dit, et les vieux musiciens ne jouèrent plus jamais à l'église.

---

modal + **have** + participe passé du verbe ; **he could have done it** : *il aurait pu le faire*.

8. **would** (présent **will**) indique ici la détermination (du **squire**) (d'où la traduction : « *ne voulait rien entendre* »).

9. **that <u>very</u> week** : **very** (adj) précédé de **the, this, that** ou d'un adj. possessif : *même* ; **I was at this very place** : *j'étais à cet endroit même*.

10. **send for, sent, sent** : *faire venir* ; **send for the doctor**.

11. **sinful** : un seul **l** ! (mais **full** : *plein*) ; **sin,** *péché*.

12. **you was** : voilà qui montre plus que jamais la position sociale du conteur.

13. **but** : **except.**

14. **whatsomever** (plus ou moins correct !) renforce **but.**

15. **played <u>no</u> more** ou **did <u>not</u> play <u>any</u> more.**

10

Charles Dickens

The Lawyer and the Ghost

L'Avocat et le fantôme

Charles Dickens (1812-1870). Né à Porstmouth dans une famille de huit enfants, Dickens connut la misère, son père ayant été emprisonné pour dettes. Obligé de quitter l'école, il dut, à l'âge de douze ans, travailler douze heures par jour dans une usine de cirage. Cette douloureuse période développa chez lui une conscience sociale particulièrement aiguë. Ses nombreux romans fourmillent de personnages hauts en couleur comme Mr Pickwick et de scènes comiques ou émouvantes. Si l'on devait donner une préférence à l'un ou l'autre de ses nombreux ouvrages, on citerait naturellement *Great Expectations*, *David Copperfield* (l'enfant préféré de l'auteur lui-même), *Oliver Twist*...

I knew a man—forty years ago—who took an old, damp and rotten[1] set[2] of chambers, in one of the ancient Inns[3], that had been shut up[4] and empty for years and years before. There were lots of stories about the place, and it was certainly far from being a cheerful one[5], but he was poor, and the rooms were cheap, and that would have been quite a sufficient reason[6], if they had been ten times worse[7] than they really were.

The man was obliged to take some mouldering[8] fixtures[9], and among the rest, was a great lumbering[10] wooden[11] press for papers, with large glass doors, and a green curtain inside, a pretty[12] useless thing, for he had no papers to out in it; and as to his clothes[13], he carried them about with him, and that wasn't very hard work either.

Well, he moved in[14] all his furniture[15]—it wasn't quite a truckful—and had sprinkled it about the rooms, so as to make the four chairs look[16] as much like a dozen as possible, and was sitting down before the fire at night, drinking the first glass of two gallons[17] of whisky he had ordered[18] on credit, wondering whether it would ever be paid for, if so[19], in how many years' time, when his eyes encountered[20] the glass doors of the wooden press.

'Ah,' says he, speaking aloud to the press, having nothing else to speak to[21], 'if it wouldn't cost more to break up your old carcase, than it would ever be worth afterwards, I'd have a fire out of you in less than no time.'

---

1. **rotten** : (m. à m.) *pourri* ; **to rot** : *pourrir.*
2. **set** : **group, series.**
3. **the Inns of Court** : les (quatre) écoles de droit londoniennes ; **inn** (sans majuscule !) : *auberge.*
4. **shut up (for good)** : particule adverbiale modifiant le sens du verbe.
5. **one** : pronom mis pour **place** et qui en évite la répétition.
6. **quite a sufficient reason** : remarquez la place de l'article avec **quite.**
7. **worse** : comparatif irrégulier de **bad** ; superlatif **the worst.**
8. **moulder(ing)** : *tomber en poussière.*
9. **fixture(s)** : *meuble à demeure.*
10. **lumber(ing)** : *encombrer, embarrasser* (une pièce...).
11. **wooden** : **made of wood** (*en bois*) ; **golden, silken** (*en soie*)...
12. **pretty** : (adv) **quite, rather, fairly** ; (adj) *joli.*

J'ai connu un individu il y a quarante ans qui avait occupé un vieil appartement humide et délabré dans une des plus anciennes écoles de droit, laquelle avait été fermée et vidée des années et des années auparavant. De nombreuses histoires circulaient au sujet de ces lieux et ceux-ci étaient certainement loin d'être réjouissants mais l'homme était pauvre, le loyer peu élevé, et cela aurait été une raison tout à fait suffisante même si le logement s'était trouvé dans un état dix fois pire qu'il ne l'était en réalité.

L'homme fut contraint de garder quelques meubles en piteux état, et parmi eux, il y avait une grosse armoire en bois, encombrante, destinée à ranger des papiers, avec de grandes portes vitrées et, à l'intérieur, un rideau vert – meuble parfaitement inutile car notre locataire n'avait pas de papiers à y mettre. Quant à ses vêtements, il les emporta avec lui et cela ne fut pas non plus un très gros travail.

Bref, il emménagea tous ses meubles (il n'y en avait pas non plus des charretées !) et il les avait distribués dans l'appartement de façon que les quatre chaises donnent autant que possible l'illusion d'en paraître une douzaine ; il était assis devant le feu, le soir, à boire le premier verre des deux gallons de whisky qu'il avait commandés à crédit, se demandant s'ils seraient jamais payés et, si oui, dans combien d'années, lorsque son regard tomba sur les portes de verre de l'armoire en bois.

— Ah ! dit-il, s'adressant à celle-ci à haute voix, n'ayant personne d'autre à qui parler, si ça ne coûtait pas plus cher de briser ta vieille carcasse qu'elle ne pourrait valoir par la suite, je ferais de toi un feu en un rien de temps.

---

13. **as to his clothes, as <u>for</u> his clothes** (plus courant) : **as far as his clothes are concerned.**

14. **move(d) (in)** *emménager* et son contraire **move out** (*déménager*).

15. **furniture** : *des meubles* ; **a piece of furniture** : *un meuble.*

16. **so as to make the four chairs look** (sans **to** !) ou **in order to make...**

17. **gallon(s)** : quatre litres et demi environ.

18. **(which) he ordered.**

19. **if <u>so</u> : if it was paid** (**so** souvent employé pour éviter des répétitions).

20. **encountere(d)** : *rencontrer par hasard.*

21. **nothing else to speak <u>to</u>** : suppression du relatif **which** entraînant le rejet de la préposition (**nothing else to which to speak**).

He had hardly spoken the words, when[1] a sound resembling[2] a faint groan appeared to issue from the interior of the case; it startled him at first, but thinking that it must be some young fellow in the next chamber who had been dining out, he put his feet on the fender and raised the poker to stir[3] the fire.

At that moment, the sound was repeated: and one of the glass doors slowly opening[4], disclosed[5] a pale figure[6] in soiled[7] and worn apparel, standing erect in the press. The figure was tall and thin, and the countenance expressive of care and anxiety, but there was something in the hue of the skin, and gaunt and unearthly[8] appearance of the whole form, which no being of this world was ever seen to wear.

'Who are you?' said the new tenant, turning[9] very pale, poising the poker in his hand, however, and taking a very decent aim[10] at the countenance of the figure. 'who are you?'

'Don't throw the poker at me[11] replied the form: 'If you hurled[12] it with ever so sure an aim, it would pass through me, without resistance, and expend[13] its force on the wood behind. I am a spirit!'

'And, pray[14], what do you want here?' faltered[15] the tenant.

'In this room,' replied[16] the apparition, 'my worldly ruin was worked[17] and I and my children beggared[18].'

---

1. **he had hardly spoken... when** (et non **that**, ce qui est logique).
2. **resembling : resemble somebody** (sans préposition !).
3. **to stir** : (m. à m.) *remuer.*
4. **open(ing)** : (ici) *s'ouvrir.*
5. **disclose(d) : reveal.**
6. **figure** (faux ami) : **shape, form, silhouette** ; **face** : *figure, visage.*
7. **soil(ed)** : *salir* ; **shop-soiled** : *défraîchi.*
8. **unearthly : "which no being of this world (this earth,** *cette terre*) **was ever seen to wear".**
9. **turn(ing) : become.**
10. **aim** : action de *viser* ; **he took a steady aim at the lion** : *il visa le lion avec sang-froid* ; **he missed his aim** : *il manqua son but.*

À peine avait-il prononcé ces mots qu'un bruit ressemblant à un léger grognement sembla émaner de l'intérieur du meuble ; cela le fit d'abord tressaillir mais, pensant qu'il devait s'agir de quelque jeune homme de l'appartement voisin qui avait dîné en ville, il posa les pieds sur le garde-feu et leva le tisonnier pour ranimer la flamme.

À cet instant, le bruit fut répété et l'une des portes vitrées, s'ouvrant lentement, dévoila une pâle silhouette vêtue d'habits sales et usés, qui se tenait toute droite dans l'armoire. La silhouette était grande et mince et sur son visage se lisaient le tracas et l'anxiété mais il y avait quelque chose, dans la couleur de la peau et l'aspect décharné et surnaturel de l'ensemble, qu'on n'avait jamais observé chez aucun être en ce monde.

— Qui êtes-vous ? interrogea le nouveau locataire, blêmissant mais tenant toutefois en suspens le tisonnier à la main et visant de manière tout à fait précise le visage de la silhouette. Qui êtes-vous ?

— Ne jetez pas le tisonnier sur moi, répliqua celle-ci. Si vous le jetiez et m'atteigniez avec la plus sûre précision qui soit, il passerait à travers moi sans résistance et sa force se perdrait sur le bois qui se trouve derrière. Je suis un esprit !

— Et, je vous prie, qu'avez-vous à faire ici ? bredouilla le locataire.

— En ces lieux, répondit l'apparition, on a œuvré à ma ruine en ce monde et réduit à la mendicité mes enfants et moi-même.

---

11. **throw the poker at me** : **at** employé pour exprimer l'agressivité ; **don't shout at me!** *ne me crie pas dessus !*

12. **hurl**(ed) : *jeter, lancer avec violence.*

13. **expend : spend, use up, consume.**

14. **pray** : *demander avec insistance* ; **prayer** : *prière.*

15. **falter**(ed) : *parler en hésitant, balbutier, bégayer.*

16. **replied : to reply, to answer ; a reply, an answer.**

17. **work**(ed) : (ici) *accomplir, produire, effectuer* : **to work the ruin of...** : amener la perte de... ; **to work wonders** : *accomplir des prodiges.*

18. **beggared** : réduit à l'état de **beggar** (*mendiant*) ; **to beg** : *mendier.*

In this room, when I had died of grief[1], and long-deferred[2] hope, two wily harpies divided the wealth for which I had contested during a wretched[3] existence, and of which, at last, not one farthing[4] was left for my unhappy descendants. I terrified them from the spot, and since have prowled by night—the only period[5] at which I can revisit the earth—about the scenes of my long misery. This apartment is mine[6]: leave it to me.'

'If you insist on making your appearance here', said the tenant, who had had time to collect[7] his presence of mind, 'I shall give up[8] possession with the greatest pleasure, but I should like to ask you one question if you will allow me.'

'Say on[9],' said the apparition sternly[10].

'Well', said the tenant, 'it does appear[11] to me somewhat inconsistent[12], that when you have an opportunity of visiting the fairest[13] spots of earth—for I suppose space is nothing to you-you should always return to the place where you have been most miserable[14].'

'Egad, that's very true; I never thought of[15] that before,' said the ghost.

'You see, sir,' pursued the tenant, 'this is a very uncomfortable room. From the appearance of that press, I should be disposed to say not wholly free from[16] bugs; and I really think

---

1. **die(d) <u>of</u> grief** (faux ami) : **sorrow**; **grievance** : *grief*.

2. **defer(red)** : *différer, remettre, ajourner*.

3. **wretched** : **miserable, unhappy, sad.**

4. **farthing** : pièce de monnaie valant un quart de **penny**; (fig) **it is not worth a farthing** : *ça ne vaut pas un centime, ça ne vaut rien*.

5. **the only period** : **only** (adj ici).

6. **this apartment is <u>mine</u> (not yours)** : emploi du pronom possessif, corespondant à *à moi, à toi*...)

7. **collect** : (ici) *rassembler ses esprits, ses idées*; **collect oneself** : *se remettre, reprendre son sang-froid*.

8. **give <u>up</u>** : rôle très important des particules adverbiales des verbes; **put** : *mettre*; **put <u>up</u>** : *loger*; **put <u>up with</u>** : *supporter* (*qqn* ou *qqch*).

— En ces lieux, alors que je mourais de chagrin et d'un espoir longtemps déçu, deux harpies rusées se sont partagé les richesses pour lesquelles je me suis battu au cours d'une misérable existence et dont finalement pas un sou n'est revenu à mes malheureux descendants. Je les ai chassées de cet endroit en usant d'intimidation et, depuis, je rôde la nuit, seul moment où je puis revisiter la terre, là où j'ai connu ma longue misère. Cet appartement m'appartient, laissez-le-moi.

— Si vous tenez à faire vos apparitions ici, répondit le locataire, qui avait eu le temps de reprendre ses esprits, j'abandonnerai la place avec le plus grand plaisir, mais j'aimerais vous poser une question, si vous me le permettez.

— Dites, fit le fantôme d'un ton sévère.

— Eh bien, reprit l'autre, il me semble vraiment quelque peu incohérent, alors que vous avez la possibilité de visiter les plus beaux endroits de la terre, car je suppose que les distances ne sont rien pour vous, il me semble incohérent que vous reveniez toujours là où vous avez été des plus malheureux.

— Sacrebleu ! Cela est parfaitement vrai. Je n'y avais jamais pensé auparavant, observa le fantôme.

— Voyez-vous, monsieur, poursuivit le locataire, ce logement est très inconfortable. D'après l'aspect de cette armoire, je serais enclin à dire qu'il n'est pas complètement exempt de punaises.

---

9. **say <u>on</u>** : **on** marque la continuation (mais ne s'utilise plus avec **say** de nos jours) ; **go <u>on</u>** : *continuer.*

10. **stern(ly) : strict, severe, harsh.**

11. **it <u>does</u> appear** : emploi de l'auxiliaire à la forme affirmative pour exprimer l'insistance (c'est la forme emphatique) ; **I <u>did</u> come!** *Je suis bel et bien venu !*

12. **inconsistent : incompatible (with), in opposition (to), out of keeping (with).**

13. **fair(est)** : (ici) **beautiful**, aussi **blond** ; **fair-haired** : *aux cheveux blonds.*

14. **miserable : unhappy, depressed, dejected.**

15. **thought <u>of</u>** : remarquer la préposition ! (**think <u>of</u>** : *penser à*).

16. **free (<u>from</u>)** : (m. à m.) *libre (de), dénué (de).*

you might find more comfortable quarters[1], to say nothing of[2] the climate of London, which is extremely disagreeable[3].'

'You are very right, sir', said the ghost politely, 'it had never struck[4] me till now; I'll try a change of air directly[5].

In fact, he began to vanish as he spoke[6]: his legs, indeed[7] had quite disappeared!

'And if sir,' said the tenant calling after him, if you would have the goodness to suggest to other ladies and gentlemen who are now engaged in haunting[8] old empty houses, that they might be much more comfortable elsewhere[9], you will confer a very great benefit on society.'

'I will', replied the ghost, 'we must be dull[10] fellows, very dull fellows, indeed; I can't imagine how we can have been so stupid.

With these words[11], the spirit disappeared, and what is rather remarkable[12], he never came back again.

---

1. **quarters : accommodation, lodgings, rooms.**
2. **to say nothing of** : cf. ***Three Men in a Boat, to Say Nothing of the Dog*** (*sans parler du chien*) : titre du célèbre roman anglais (1889), plein d'humour, de Jerome K. Jerome (1859-1927).
3. **disagreeable : unpleasant** (plus employé).
4. **it had never struck me** ou **it had never occurred to me.**
5. **directly** : (ici) **promptly, immediately.**
6. **as he spoke** ou **while he was speaking.**

Et je pense vraiment que vous pourriez peut-être trouver un domicile plus confortable, sans parler du climat de Londres qui est extrêmement désagréable.

— Vous avez parfaitement raison, dit le fantôme d'un ton poli, ça ne m'était jamais venu à l'idée jusqu'à présent. Je vais essayer de changer d'air, sans attendre.

En fait, il commençait à se volatiliser tout en parlant ; ses jambes avaient bel et bien complètement disparu.

— Et si, monsieur, poursuivit le locataire en l'appelant, si vous aviez la bonté de suggérer aux hommes et aux femmes actuellement occupés à hanter de vieilles demeures vides, qu'ils jouiraient de bien plus de confort ailleurs, vous rendriez un grand service à la société.

— Je n'y manquerai pas, répondit le fantôme, nous devons être bornés, tout à fait bornés, vraiment. Je n'arrive pas à imaginer combien nous avons pu être si stupides !

Sur ces mots, l'esprit disparut et, ce qui est assez remarquable, c'est qu'il ne soit jamais revenu.

---

7. **indeed : in fact, in actual fact.**

8. **engaged in haunting : busy haunting.**

9. **elsewhere** ou **somewhere else.**

10. **dull : slow, stupid, unimaginative.**

11. **with these words** ou **thereupon** (*là-dessus*).

12. **what is... remarkable : what** annonce ce qu'on va dire ; **which** reprend ce qu'on vient de dire : **He visited his grandfather, which pleased the old man.**

11

Mary Webb

In Affection and Esteem

Avec mon affection et mon estime

Mary Webb (1881-1927), fille d'un instituteur d'origine galloise, est née dans le Sussex. Son amour de la nature la conduisit à célébrer le Shropshire comme Thomas Hardy avait décrit le Dorset. On lui doit cinq romans, dont les plus connus sont *Gone to Earth* et *Sarn*, évocation cruelle de la névrose.

Miss Myrtle Brown had never received the gift[1] of a box or a bouquet of flowers. She used to[2] think, as she trudged away to the underground[3] station every day, to go and stitch[4] buttonholes in a big London shop, that it would have been nice if, on one of her late returns[5], she had found a bunch of roses, red with thick, lustrous petals, deeply sweet, or white, with their rare fragrance-awaiting her[6] on her table. It was of course, an impossible dream. She ought to be glad enough to have a table at all[7], and a loaf to put on it. She ought to be grateful to those above[8] for letting her have a roof over her head.

"You might," she apostrophized herself, as she lit her gas-ring[9] and put on the kettle, "not *have* a penny for this slot[10]. You might, Myrtle Brown, not *have* a spoonful[11] of tea to put in this pot. Be thankful!"

And she was thankful to[12] Providence, to her landlady, to her employer, who sweated[13] his workers, to the baker for bringing her loaf, to the milkman for leaving her half a pint[14] of milk on Sundays[15], to the landladys's cat for refraining from drinking it.

Yet she could not help thinking[16], when she put out[17] her light and lay down, of the wonderful moment if she ever *did* receive[18] a bouquet.

Think of unpacking the box! Think of seeing on the outside: Cut Flowers.

---

1. **gift** : *present*; **give sb sth, present sb with sth.**

2. **used to** exprime une idée d'habitude dans le passé.

3. **underground** : aussi **"tube"** à Londres, **subway** (US).

4. **to go and stitch** : aussi **come and see me** : *venez me voir...* (emploi courant de **and** entre deux infinitifs et deux impératifs).

5. **on one of her late returns ; he came on the same day...**

6. **awaiting her** ou **waiting for her** (plus fréquent).

7. **to have a table at all ; if he comes at all** : *si seulement il vient* (notez ce sens de **at all**).

8. **those above : the gods ; above** : *au-dessus (de)*.

9. **gas-ring** : *brûleur*.

10. **slot : opening to insert penny in** (*fente*).

11. **spoonful, thankful, wonderful, grateful** : un seul **l** ! contrairement à **full (of)** *plein (de)*.

On n'avait jamais offert à Miss Myrtle Brown un carton ou un bouquet de fleurs. Elle se disait souvent, tandis qu'elle marchait péniblement chaque jour vers la station de métro pour aller confectionner des boutonnières dans une grande boutique de Londres, que ç'aurait été merveilleux si, en rentrant tard un soir, elle avait trouvé, l'attendant sur sa table, un bouquet de roses, rouges avec leurs pétales charnus et luisants et leur parfum suave, ou blanches avec leur incomparable exhalaison. C'était là, bien sûr, un rêve impossible. Elle devrait être déjà assez heureuse de posséder seulement une table et une miche de pain sur laquelle la poser. Elle devrait être reconnaissante aux puissances d'en haut de lui permettre d'avoir un toit au-dessus de la tête.

— Tu pourrais, se disait-elle d'un ton brusque, alors qu'elle allumait son gaz et mettait sa bouilloire sur le feu, n'avoir pas même un penny à introduire dans la fente de ce compteur. Tu pourrais, Myrtle Brown, n'avoir pas une cuillerée de thé à verser dans ce récipient. Sois reconnaissante !

Et elle était reconnaissante envers la Providence, envers sa logeuse, envers son employeur, qui exploitait ses ouvriers, envers le boulanger, qui lui portait sa miche de pain, envers le laitier, qui lui déposait une demi-pinte de lait chaque dimanche, envers le chat de sa propriétaire parce qu'il se retenait de la boire.

Cependant, elle ne pouvait s'empêcher de penser, lorsqu'elle éteignait sa lumière et qu'elle s'allongeait, au délicieux moment qu'elle vivrait si elle recevait bel et bien un bouquet.

Imagine-toi défaisant le carton ! Imagine-toi lisant à l'extérieur : Fleurs coupées.

---

12. Notez ce sens de **to** (*envers, à l'égard de*) : **thankful <u>to</u> Providence, <u>to</u> her landlady, <u>to</u> her employer.**

13. **sweated : made them work hard and <u>sweat</u>** [swet] (*transpirer*) ; **sweat** : *sueur.*

14. **half a pint** : remarquez la place de **a** ; **pint** : *demi-litre* (environ).

15. **on Sundays : every single Sunday.**

16. **think(ing)... <u>of</u> the wonderful moment** : *penser à.*

17. **put out : switched off.**

18. **if she ever *<u>did</u>* receive** : **do** employé à la forme affirmative marque l'insistance, laquelle est encore renforcée par **did** en italique (d'où *bel et bien* dans la traduction) ; **I do believe you!** *Mais je vous crois !*

Immediate–, undoing the string, taking off the paper, lifting the lid[1]!

What then? Ah, violets, perhaps, or roses; lilies of the valley; lilac or pale pink peonies or mimosa with its warm sweetness.

The little room would be like a greenhouse[2]—like one of the beautiful greenhouses at Kew[3]. She would borrow[4] jam-pots from the landlady, and it would take all evening to arrange them. And the room would be wonderful—like heaven[5].

To wake, slowly and luxuriously, on a Sunday[6] morning, into that company-what bliss[7]!

She might, of course, out of her weekly wage, buy a bunch of flowers. She did occasionally[8]. But that was not quite the perfect thing, not quite what she desired. The centre of all the wonder was to be[9] the little bit of pasteboard with her name on it, and the sender's name, and perhaps a few words of greeting. She had heard[10] that this was the custom in sending a bouquet to anyone—a great actress or a prima donna. And on birthdays it was customary, and at funerals.

Birthdays! Suppose, now, she received such a parcel[11] on her birthday. She had had so many birthdays, and they had all been so very much alike[12]. A tomato with her tea[13], perhaps, and a cinema afterwards[14].

---

1. **(think of...) lifting the lid : think of raising the cover (to open the box).**

2. **be like a greenhouse : resemble a greenhouse** (sans préposition !).

3. **Kew (Botanical Gardens)** : célèbre jardin botanique à Londres.

4. **borrow from** : notez la préposition !

5. **heaven** : *paradise* ; **sky** : le *ciel* (que l'on voit).

6. **on a Sunday... on birthdays, on July 31st** ... (devant des jours précis, des dates).

7. **bliss** ou **joy, ecstasy, felicity, "beatitude". "Bliss"** est le titre d'une célèbre et excellente nouvelle de Katherine Mansfield (auteur présent dans ce recueil).

Urgent !, dénouant la ficelle, enlevant le papier, soulevant le couvercle !

Et alors ? Ah ! des violettes peut-être ou des roses, du muguet, du lilas ou des pivoines au rose pâle ou du mimosa au doux parfum capiteux.

Sa petite pièce ressemblerait à une serre, à une de ces magnifiques serres de Kew. Elle emprunterait des pots à confiture à sa logeuse et cela lui prendrait toute la soirée pour arranger ces fleurs. Et le logement serait merveilleux, tel le paradis.

Se réveiller doucement, langoureusement par un dimanche matin, entourée d'une telle compagnie... quelle béatitude !

Elle pourrait bien sûr, en prélevant sur son salaire hebdomadaire, acheter un bouquet de fleurs. Elle le faisait de temps en temps. Mais cela n'était pas vraiment l'idéal, ce n'était pas tout à fait ce qu'elle voulait. Le summum de toute cette histoire magique serait assurément le petit carré de carton avec son nom inscrit dessus et celui de l'expéditeur, avec peut-être quelques compliments. Elle avait entendu dire que c'était la coutume quand on envoyait un bouquet à quelqu'un, à une grande actrice ou à une prima donna. Cela se faisait aussi pour les anniversaires et les enterrements.

Les anniversaires ! Voyons ! supposons qu'elle reçoive un tel paquet le jour de son anniversaire. Elle avait fêté tant d'anniversaires et ils s'étaient tous tellement ressemblé. Une tomate à l'heure du thé peut-être et une séance de cinéma ensuite.

---

8. **occasionally** ou **from time to time, now and then, now and again.**

9. **was to be** : **be to** + verbe pour parler d'un plan établi à l'avance (comme ici), d'un programme prévu (souvent officiel). **The Queen <u>is to</u> <u>speak</u> on the BBC next Friday** : *la reine doit parler à la BBC vendredi prochain.*

10. **hear(d) that** : *entendre dire que* ; **hear <u>from</u>** : *avoir des nouvelles de.*

11. **such a parcel** : position de l'article indéfini avec **such.**

12. **alike** : **similar** ; **like** : *comme* ; **look like sb** ou **resemble sb** ou **resemble sth** (sans préposition).

13. **tea** : il s'agit ici du repas et pas seulement de la boisson.

14. **afterwards** (GB), **afterward** (US).

Once[1] it had been a pantomime, the landlady having been given[2] a ticket, and having passed it on in consideration of some help with needlework.

Always in her heart was the longing for[3] some great pageant, some splendid gift of radiance. How she would enjoy it! But nobody seemed anxious to[4] inaugurate any pageant. And at last[5], on a bleak winter day when[6] everything had gone wrong and she had been quite unable to be grateful to anybody, she made a reckless[7] decision. She would provide a pageant for herself. Before she began to save up for the rainy day[8], she would save up for the pageant.

"After that," she remarked, carefully putting crumbs on the window-sill for the birds, "you'll be quiet[9]. You'll be truly thankful, Myrtle Brown,"

She began to scrimp[10] and save. Week by week the little hoard[11] increased. A halfpenny here and a penny there—it was wonderful how soon she amassed a shilling. So great was her determination that, before her next[12] birthday, she had got together two pounds.

"It's a wild[13] and wicked[14] thing to spend two pounds on what neither feeds nor clothes[15] ", she said. She knew it would be impossible to tell the landlady. She would never hear the last of it. No! it must be a dead secret[16].

---

1. **once : once upon a time** : *il était une fois.*

2. **the landlady <u>having been given</u>** : la personne à qui l'on donne est le sujet de la phrase passive ; il en est de même avec **offer, buy, sell, teach, tell...** (v doublement transitifs exprimant un échange). **I'm taught English by Mr. Bramble** (*M. Bramble m'enseigne l'anglais*).

3. **long(ing) for** : *attendre impatiemment, soupirer après.*

4. **anxious to, eager to** : *très désireux de.*

5. **at last** ou, plus fort, **at long last** (ce qui s'appliquerait bien ici).

6. **a day <u>when</u>...** (et non **where**, ce qui est logique).

7. **reckless : very imprudent, wild, rash, irresponsible** (= *téméraire, imprudent*) cf. **reckless driving,** *conduite imprudente/à risques.*

Une fois, cela avait été une pantomime, la propriétaire ayant reçu un billet et le lui ayant donné en récompense de quelque travail d'aiguille.

Toujours, au fond de son cœur, demeurait l'ardente aspiration à quelque grande fête, à quelque cadeau splendide, plein d'éclat. Oh ! comme elle serait comblée ! Mais personne ne semblait pressé de prendre l'initiative d'une telle fête. Et finalement, par une triste journée d'hiver où tout s'était mal passé et où elle avait été totalement incapable de se montrer reconnaissante envers qui que ce soit, elle prit une folle décision. Elle s'offrirait une fête ; avant de commencer à économiser pour les mauvais jours, elle économiserait en vue de celle-ci.

— Après cela, observa-t elle en mettant avec soin des miettes pour les oiseaux sur le rebord de la fenêtre, — tu te calmeras. Tu seras sincèrement reconnaissante, Myrtle Brown.

Elle se mit à calculer, à économiser sou par sou. Semaine après semaine, le petit pécule s'accumulait. Un demi-penny par-ci, un penny par-là. C'était merveilleux comme elle avait vite réuni un shilling ! Si grande était sa détermination qu'avant son nouvel anniversaire, elle avait amassé deux livres.

— C'est de la folie, c'est immoral de mettre deux livres dans quelque chose qui ne vous nourrit pas et qui ne vous habille pas, se dit-elle. Elle savait qu'elle ne pourrait pas confier cela à la propriétaire. Celle-ci ne finirait pas d'en parler. Non ! il fallait que cela soit tenu parfaitement secret.

---

8. **the rainy day** : (sens figuré) *une période difficile, une mauvaise passe.*
9. **quiet** : **calm, not excited** ; **calm** (v) : **you will calm down.**
10. **scrimp** : **skimp** : *regarder de près, lésiner.*
11. **hoard** : *argent, trésor amassé* ; **hoard** (**up**) : *amasser.*
12. **next** : **following** ; **to follow** : *suivre.*
13. **wild** : **irrational, mad, foolish.**
14. **wicked** : **evil, reprehensible.**
15. **what neither feeds nor clothes** : équivalent de *ni... ni* ; **feed** : **give food** (nourriture) **to, provide with food** ; **to clothe, clothed** ou **clad, clothed** ou **clad** : *vêtir* ; **clothes** : *des vêtements.*
16. **dead secret** ou **top secret.**

Nobody must know where those flowers came from. What was the word people used when you were not to know the name[1]?

'Anon'. Yes. The flowers must be 'anon'. There was a little shop at Covent Garden[2] where they would sell retail[3]. Wonderful things were heaped[4] in hampers. She would go there on the day before her birthday.

She was radiant[5] as she surveyed early[6] London from the bus. She descended[7] at Covent Garden, walking through the piled crates of greenstuff, the casks of fruit[8], the bursting[9] sacks of potatoes. The shopkeeper was busy. He saw a shabby[10] little woman with an expression of mingled[11] rapture[12] and anxiety.

"I want some flowers. Good flowers. They are to be[13] packed and sent to a lady I know[14], tonight."

"Violets?"

"Yes, violets and tuberoses and lilies and pheasant-eye and maidenhair and mimosa and a few dozen roses[15]."

"Wait a minute! Wait a minute! I suppose you know they'll cost you a pretty penny[16]."

"I can pay for[17] what I order," said Miss Brown with hauteur. "Write down what I say, add it up as you go on[18], put down box and postage, and I'll pay."

The shopkeeper did as he was told[19].

Miss Brown went from flower to flower, like a sad-coloured butterfly, softly touching a petal, softly sniffing a rose.

---

1. **to be to** : *devoir*, avec une nuance future.
2. **Covent Garden** : marché aux fleurs, fruits et légumes à Londres.
3. **sell retail** et son contraire **sell wholesale** : *vendre en gros*.
4. **heaped** ou **"piled"** (plus loin) ; **a heap, a pile** : *un tas*.
5. **radiant** : **joyful, happy, elated.**
6. **early** : (adj) *du début* ; **in early spring** : *au début du printemps*.
7. **descended** : **got off (the bus).**
8. **fruit** : sans **s**.
9. **burst, burst, burst** : *éclater*.
10. **shabby** : *miteux* ; **shabby clothes** : *vêtements râpés*.
11. **mingle(d)** : **mix.**
12. **rapture** : **joy, ecstacy, euphoria, elation** (= *ravissement, enchantement*).
13. **they are to be** : *plan prévu à l'avance* (note 1 plus haut).

Personne ne devait savoir d'où venaient ces fleurs. Quel était le mot que les gens employaient quand on ne devait pas connaître le nom ?

« Ano... » Oui, c'est ça. Les fleurs devaient rester « ano... ». Il y avait une petite boutique à Covent Garden où se faisait la vente au détail. Des marchandises merveilleuses étaient empilées dans des paniers d'osier. Elle s'y rendrait la veille de son anniversaire.

Elle rayonnait de joie en observant Londres à la première heure, depuis l'autobus. Elle descendit à Covent Garden, s'achemina entre les caisses de légumes à claire-voie entassées les unes sur les autres, les paniers de fruits, les sacs débordant de pommes de terre. Le commerçant était occupé. Il aperçut une petite femme pauvrement vêtue, au visage exprimant une joie immense mêlée d'appréhension.

— Je veux des fleurs. De belles fleurs. Il faut les emballer et les expédier ce soir à une dame que je connais.

— Des violettes ?

— Oui des violettes et puis des tubéreuses et des lys, des narcisses et des capillaires, du mimosa et quelques douzaines de roses.

— Une seconde ! Une seconde ! Je suppose que vous savez que ça va vous coûter une petite fortune.

— Je suis capable de payer ce que je commande, dit Miss Brown avec hauteur. Notez ce que je vous dis, faites l'addition au fur et à mesure, comptez le carton et les frais d'envoi et je vous payerai.

Le marchand fit ce qu'on lui demanda.

Miss Brown allait de fleur en fleur, tel un papillon aux couleurs ternes, effleurant légèrement un pétale, humant délicatement une rose.

---

14. **a lady (whom) I know** : suppression très fréquente du pronom relatif complément, notamment en anglais parlé.

15. **a few dozen roses** : pas de **s** à **dozen**, pas de **of** après **dozen** ! On a par contre : **dozens of roses.**

16. **they'll cost you a pretty penny** : **they'll cost you quite a lot of money.**

17. **pay <u>for</u> something.**

18. **as you go on (taking the flowers for me).**

19. **as he was told** : passif idiomatique : la personne à qui on dit qqch devient le sujet de la phrase. **<u>I was given</u> a book by my mother.**

The shopkeeper, realizing that something unusual[1] was afoot[2], gave generous measure. At last the order was complete, the address given, the money—all the two pounds—paid.

"Any card enclosed?" queried[3] the shopman.

Triumphantly Miss Brown produced[4] one. 'In affection and esteem.'

"A good friend, likely[5]?" queried the shopman.

"Almost my only[6] friend," replied Miss Brown.

Through Covent Garden's peculiarly glutinous mud she went in a beatitude, worked in a beatitude, went home in a dream.

She slept brokenly[7] as children do on Christmas Eve[8], and woke early, listening for[9] the postman's ring.

Hark[10]! Yes! A ring[11].

But the landlady did not come up. It must have been[12] only the milkman. Another wait[13]. Another ring. No footsteps. The baker, she surmised[14].

Where was the postman? He was very late. If he only knew, how quick he would have been[15]!

Another pause. An hour. Nothing. It was long past[16] his time. She went down.

"Postman?" said the landlady, "why[17], the postman's been gone above an hour! Parcel? No, nothing for you.

---

1. **something unusual** : **something interesting, something new...** : pas de **of** !

2. **afoot** : *en train, en préparation* ; **there is something afoot** : *il se prépare, il se trame qqch.*

3. **queried** : **to query**, plus courant : **to ask**.

4. **produce(d)** : (faux ami ici) **present, show**.

5. **likely** : **probably** ; aussi employé comme adj : **he's likely to come** : *il est probable qu'il viendra* ; **it's likely to rain** : *il va probablement pleuvoir.*

6. **only** : (adj ici) : **sole, single** ; **she is an only child**.

7. **brokenly** : **break, broke, broken** : (ici) *interrompre.*

8. **on Christmas Eve, on Tuesday, on July 31st**... (devant des dates précises).

9. **listen(ing) for** : à ne pas confondre avec **listen to** (*écouter*).

10. **(to) hark** : (peu employé) *écouter, prêter l'oreille à*, **listen (to)**.

11. **a ring** ; **to ring, rang, rung** : *sonner.*

Le fleuriste, prenant conscience que quelque chose d'exceptionnel se tramait, fit bonne mesure. Enfin la commande fut complète, l'adresse donnée, l'argent versé, les deux livres dépensées jusqu'au dernier penny.

— Pas de carte à joindre ? s'enquit le marchand.

L'air triomphant, Miss Brown en présenta une : « Avec mon affection et mon estime. »

— Une bonne amie, je suppose ? demanda le marchand.

— Pratiquement ma seule amie, répondit Miss Brown.

Dans l'allégresse, elle traversa Covent Garden avec sa boue particulièrement collante, dans l'allégresse elle accomplit son travail puis rentra chez elle, comme dans un rêve.

Elle dormit d'un sommeil entrecoupé, tels les enfants la veille de Noël, et se réveilla de bonne heure, guettant le coup de sonnette du facteur.

— Écoute ! Oui ! Ça sonne.

Mais la propriétaire ne montait pas. Ça ne devait être que le laitier. Nouvelle attente. Nouveau coup de sonnette. Nul bruit de pas. C'était le boulanger, supposa-t-elle.

Où était le facteur ? Il avait beaucoup de retard. Si seulement il savait, comme il se dépêcherait !

Nouvelle pause. Une heure d'attente. Rien. Son heure était passée depuis longtemps. Elle descendit.

— Le facteur ? dit la propriétaire. Oh ! mais le facteur est passé depuis plus d'une heure ! Un paquet ? Non, rien pour vous.

---

12. **It must <u>have been</u>** : les auxiliaires modaux n'ayant pas de participe passé, on a : présent ou passé de l'auxiliaire modal + **have** + participe passé du verbe : **he may <u>have come</u>** : *il se peut qu'il soit venu* ; **she might <u>have arrived</u>** : *il se pourrait qu'elle soit arrivée.*

13. **wait** : (n ici) ; **an hour's wait** : une attente d'une heure.

14. **she surmised** : **she supposed, she presumed** (plus courants).

15. **how quick he <u>would have been</u>!** : **how** exclamatif, donc pas de forme interrogative du verbe ! **How wonderful <u>it is</u>!**

16. **past** (préposition) : après ; **it's long past my bed-time** : *je devrais être au lit depuis longtemps.*

17. **why** : (ici) interjection exprimant la surprise, l'indignation... : *eh bien ! mais ! comment !* **Why, a child knows that!** *Voyons ! même un enfant sait cela !*

There did come [1] a parcel for Miss Brown, but it was a great expensive box with "Cut Flowers" on it, so I knew it wasn't for you and I sent it straight [2] to Miss Elvira Brown the actress, who used to lodge [3] here. *She* [4] was always getting stacks [5] of flowers, so [6] I knew [7] it was for her."

---

1. **there did come** : **do, does, did** ne s'emploient à la forme affirmative que si l'on veut insister : c'est la forme emphatique ou d'insistance. **"I did learn my lesson", he said to the teacher** (*Mais j'ai appris ma leçon !...*).

2. **straight** (adv) : **directly** ou **immediately**; **come straight to the point** : *aller droit au fait*; (adj) **a straight answer** : *une réponse directe, franche.*

3. **to lodge** : **a lodger**, *un(e) locataire.*

— Il est bien arrivé un paquet pour Miss Brown, mais c'était un grand carton onéreux, avec « Fleurs coupées » inscrit dessus. J'ai donc compris que ce n'était pas pour vous et je l'ai envoyé directement à Miss Elvira Brown, l'actrice qui logeait ici autrefois. Elle, elle recevait des tas de fleurs. J'en ai donc conclu que c'était pour elle.

---

4. ***she*** : italiques utilisées en anglais pour marquer l'insistance (d'où la traduction : *Elle, elle recevait...* (contrairement à vous, Myrtle Brown).

5. **stacks of** (fam) : **a lot of, lots of**; **stack** : **pile, mass.**

6. **so** : **consequently, in consequence, therefore.**

7. **know, knew, known** : *savoir* ou ici *comprendre* (aussi **I realized, I understood, I gathered**).

12

Mark Twain

The Five Boons of Life

Les Cinq Aubaines de la vie

Mark Twain (1835-1910), romancier et conférencier-humoriste américain, est né dans le Missouri. Dans *The Adventures of Tom Sawyer* et *The Adventures of Huckleburry Finn* il décrit le village tranquille où il grandit et relate l'histoire de deux amis inséparables, deux garnements dont les turpitudes héroï-comiques font tout le charme de ces deux livres. Mark Twain est le premier grand écrivain de l'ouest des États-Unis. Il voulut dans ses romans découvrir « l'Amérique à travers ses paysages et son folklore ».

In the morning[1] of life came the good fairy with her basket, and said:

"Here are the gifts[2]. Take one, leave the others. And be wary, choose wisely; oh, choose wisely[3]! For only one of them is valuable."

The gifts were five: Fame, Love, Riches[4], Pleasure, Death. The youth[5] said, eagerly[6]:

"There is no need to consider"; and he chose Pleasure.

He went out into the world and sought out[7] the pleasures that youth delights in[8]. But each in its turn was short-lived[9] and disappointing, vain and empty; and each, departing, mocked him. In the end he said: "These years I have wasted. If I could but[10] choose again, I would choose wisely."

The fairy appeared, and said:

"Four of the gifts remain. Choose once[11] more; and oh, remember—time is flying[12], and only one of them is precious."

The man considered long, then chose Love; and did not mark[13] the tears that rose[14] in the fairy's eyes.

After many, many years the man sat by[15] a coffin, in an empty home. And he communed[16] with himself, saying: "One by one they have gone away and left me; and now she lies[17] here, the dearest and the last. Desolation after desolation has swept over me[18]; for each hour of happiness the treacherous trader[19], Love, has sold me I have paid a thousand hours of grief[20]. Out of my heart of hearts[21] I curse him."

---

1. **in the morning, in the evening, in the afternoon.**
2. **gift(s), present ; give, gave, given** : *donner*.
3. **wise(ly) : wise, sage, sagacious ; wisdom : sagacity.**
4. **riches** ou **wealth ; rich** ou **wealthy.**
5. **youth** : *jeune* ici mais aussi *la jeunesse, les jeunes* (cf plus bas).
6. **eager(ly) : enthusiastic, keen, impatient.**
7. **sought out, looked for, was in pursuit of, searched for ; seek, sought, sought.**
8. **that youth delights in : in which youth delights** (suppression du relatif **which** entraînant le rejet de la préposition).
9. **short-lived : to live,** *vivre* ; **life,** *la vie*.
10. **but** (ici) : *seulement, ne... que* ; **he is but a man after all,** *ce n'est qu'un homme après tout.*

À l'aube de la vie, arriva la bonne fée avec son panier. Elle dit :

— Voici les cadeaux. Prenez-en un et laissez les autres. Et soyez prudent, choisissez avec sagesse. Oh ! choisissez avec sagesse car un seul d'entre eux est valable.

Les cadeaux étaient au nombre de cinq : la Célébrité, l'Amour, la Richesse, les Plaisirs, la Mort. Le jeune homme dit, enthousiaste :

— Il n'y a pas besoin de réfléchir. Il choisit les Plaisirs.

Il s'en alla dans le monde à la recherche des plaisirs dont la jeunesse se délecte. Mais chacun, l'un après l'autre, était éphémère et décevant, vain et vide. Et chacun, l'abandonnant, le tournait en dérision. Pour finir, il dit :

— Toutes ces années, je les ai gaspillées. Si seulement je pouvais choisir à nouveau, je le ferais avec sagesse.

La fée apparut et dit :

— Des cadeaux, il en reste quatre. Faites un nouveau choix. Et oh ! souvenez-vous, le temps passe vit ! et un seul est précieux.

L'homme réfléchit longuement puis il choisit l'Amour. Il ne remarqua pas les larmes qui montaient aux yeux de la fée.

Des années et des années plus tard, l'homme était assis près d'un cercueil, dans une maison vide. Il se disait en son for intérieur :

— L'une après l'autre elles s'en sont allées et m'ont quitté. Et maintenant elle repose là, la plus chère et la dernière. Malheurs après malheurs se sont abattus sur moi. Pour chaque heure de bonheur que m'a vendue l'amour, ce perfide marchand, j'ai payé des milliers d'heures de chagrin. Du tréfonds de mon cœur, je le maudis.

---

11. **once, twice, three times, four times...**
12. **fly(ing), flew, flown** : *passer vite* (temps), *voler* (oiseau, avion...).
13. **mark, notice** (plus employé) : *remarquer, faire attention à.*
14. **rise, rose, risen** : ***The Sun also Rises***, roman de Hemingway.
15. **by, near, next to.**
16. **commune(d)** : *converser intimement* (avec).
17. **lie, lay, lain** à ne pas confondre avec **lay, laid, laid,** *poser* (qqch).
18. **swept over me** : **sweep, swept, swept** : *balayer* ; **over** : *sur, par-dessus.*
19. **(which) the treacherous trader (merchant, dealer).**
20. **grief** (faux ami), **sorrow** ; **grievance, complaint, protest** : *grief.*
21. **out of my heart of hearts, out of the bottom of my heart.**

"Choose again." It was the fairy speaking. "The years have taught you wisdom—surely it must be so[1]. There gifts remain[2]. Only one of them has any worth[3]—remember it, and choose warily[4]."

The man reflected long then chose Fame; and the fairy, sighing[5], went her way.

Years went by[6] and she came again, and stood behind the man where he sat solitary in the fading[7] day, thinking. And she knew his thought:

My name filled[8] the world, and its praises were on every tongue, and it seemed well with me for a little while[9]. How little a while it was! Then came envy[10]; then detraction[11]; then calumny; then hate; then persecution. Then derision, which is the beginning of the end. And last of all came pity, which is the funeral of fame. Oh, the bitterness and misery of renown! Target for mud[12] in its prime[13], for contempt[14] and compassion in its decay[15]."

"Choose yet again[16]." It was the fairy's voice. "Two gifts remain. And do not despair. In the beginning there was but one[17] that was precious, and it is still[18] here."

"Wealth—which is power! How blind I was[19]!" said the man. "Now, at last[20] life will be worth the living[21].

---

1. **it must be so** : **must** indique ici la certitude ; **so** évite la répétition de **the years have taught you wisdom** : **it must be the case**.
2. **three gifts remain** : **three gifts are left** (plus courant).
3. **worth** : **it's worth** (adj) **two euros** : *ça vaut deux euros.*
4. **warily** : **with caution** ; **wary** : **careful, cautious, on one's guard.**
5. **sigh(ing)** ; **give a sigh, heave a sigh** : *pousser un soupir.*
6. **went by** : **go by, pass.**
7. **fading** : **fade** : **diminish, decline.**
8. **fill(ed) (with)** : *remplir de* ; **full of** : *plein de.*
9. **a little while** : **a little time.**
10. **envy** (faux ami) : **jealousy.**
11. **detraction** : **defamation, depreciation, slander.**

— Choisissez de nouveau. (C'était la fée qui parlait.) Les années vous ont enseigné la sagesse. Assurément, ce doit être le cas. Trois cadeaux subsistent. Un seul d'entre eux a quelque valeur. Souvenez-vous-en et choisissez avec circonspection.

L'homme réfléchit un long moment, puis il choisit la Célébrité. La fée, poussant un soupir, alla son chemin.

Les années passèrent et elle revint. Elle se tint derrière l'homme qui se trouvait là, solitaire, songeur, dans le jour finissant. Et elle lisait ses pensées :

Le monde était plein de mon nom, les louanges étaient sur toutes les lèvres et cela me sembla bon pendant un petit moment. Ô combien éphémère ! Puis vinrent la jalousie, le dénigrement, la calomnie, la haine ; puis la persécution. Puis la dérision qui est le commencement de la fin. Et, en tout dernier lieu, la pitié qui est la mort de la célébrité. Oh ! l'amertume et la détresse attachées à la renommée, cible pour les abjects calomniateurs à son apogée, pour les contempteurs et les compatissants à son déclin.

— Choisissez une fois de plus. (C'était la voix de la fée.) Il reste deux cadeaux. Ne désespérez pas. Dès le début, il n'y en avait qu'un de précieux et il est encore disponible.

— La Richesse, synonyme de pouvoir ! Quel aveugle j'étais ! dit l'homme. Maintenant, enfin, la vie vaudra la peine d'être vécue.

---

12. **mud** : *boue, fange* ; **muddy** : *boueux, fangeux*.
13. **prime** : **be in in the prime of life** : *être dans la fleur de l'âge*.
14. **contempt** : **disdain** ; **contemptuous, disdainful**.
15. **decay** : **decomposition** ; **to decay** : **to deteriorate, to decline**.
16. **chose yet again** : **yet** renforce **chose again**.
17. **there was but one** : **there was only one** (**but** : *seulement, ne... que*).
18. **still** exprime la continuation, **always** la répétition.
19. **how blind I was !** : **how** exclamatif ; notez l'ordre des mots. **How old you are!** à ne pas confondre **avec How old are you?** (**how** interrogatif).
20. **at last** ou, plus fort, **at long last**.
21. **worth the living** : noter la construction ; **it's worth trying** : *ça vaut la peine d'essayer*.

I will spend, squander, dazzle[1]. These mockers and despisers[2] will crawl in the dirt[3] before me, and I will fill my hungry[4] heart with their envy. I will have all luxuries, all enchantments of the spirit, all contentments of the body that man holds dear[5]. I will buy, buy, buy! Deference, respect, esteem, worship[6]—every pinchbeck[7] grace of life the market of a trivial[8] world can furnish forth[9]. I have lost much time, and chosen badly heretofore[10], but let that pass: I was ignorant then, and could but take for best what seemed so."

Three short years went by, and a day came when[11] the man sat shivering[12] in a mean garret; and he was gaunt and wan and hollow-eyed, and clothed in rags; and he was gnawing a dry crust and mumbling:

"Curse all the world's gifts, for[13] mockeries and gilded lies! And mis-called[14] every one. They are not gifts, but merely[15] lendings[16]. Pleasure, Love, Fame, riches: they are but temporary disguises for lasting[17] realities—Pain, Grief, Shame, Poverty. The fairy said true[18], in all her store[19] there was but one gift which was precious, only one that was not valueless[20]. How poor and cheap and mean I know those others now to be, compared with that inestimable one, that dear and sweet and kindly one, that steeps in dreamless and enduring[21] sleep the pains that persecute the body, and the shames and griefs that eat the mind and heart.

---

1. **dazzle** : *éblouir, aveugler* (propre et figuré).
2. **despiser** : **to despise, to disdain, to scorn**, *mépriser.*
3. **dirt** : *saleté* ; **dirty** : *sale.*
4. **hungry** : **be hungry** : *avoir faim* ; **be thirsty** : *avoir soif.*
5. **holds dear** : (ici) **considers as..., regards as...** ; **dear** : **precious.**
6. **worship** : **reverence, respect, adoration** ; **to worship** : *adorer.*
7. **pinchbeck** (adj. ici) : **sham** : *en toc, faux, factice.*
8. **trivial** : (faux ami) : **unimportant, insignificant, petty, minor.**
9. **forth** : **and so on and so forth** : *et ainsi de suite.*
10. **heretofore** (peu employé) : **up to now.**
11. **a day came when...** (et non pas **where**, ce qui est logique).
12. **shiver(ing)** (de froid), **shudder** (de crainte, de peur, d'horreur).
13. **for** (being) **mockeries.**
14. **miscalled** : *mal nommé* ; **a misnomer** : *un nom inapproprié* ; **to call**

Je vais dépenser, dilapider mon argent, briller. Ces persifleurs et ces arrogants ramperont devant moi dans la fange et je vais repaître mon cœur insatiable de leur jalousie. Je jouirai de tous les luxes, de toutes les joies, de tous les charmes de l'esprit, de toutes les satisfactions du corps, auxquels l'homme attache tant de prix. J'achèterai encore et encore la considération, le respect, l'estime, la vénération, tous les enchantements factices de la vie, que le marché d'un monde futile fournit à profusion. J'ai perdu beaucoup de temps et j'ai fait de mauvais choix jusqu'à présent mais passons, j'étais ignorant alors et je pouvais considérer comme meilleur uniquement ce qui en avait l'apparence.

Trois brèves années passèrent et vint un jour où l'homme se trouva tremblant de froid dans un misérable galetas ; il était décharné, pâle, les yeux caves, couverts de haillons ; il grignotait une croûte de pain rassis et marmonnait :

— Maudits soient tous les cadeaux du monde, parodies mensongères et dorées qui ne méritent pas ce nom. Aucun d'entre eux ! Ce ne sont pas des cadeaux mais uniquement des prêts. Plaisir, Amour, Célébrité, Richesse ne sont que les apparences éphémères des réalités durables que sont douleur, chagrin, honte, pauvreté. La fée parlait vrai. Dans tout son choix, un seul cadeau était précieux, un seul qui ne fût pas dénué de valeur. Combien futiles, dérisoires, méprisables sont les autres ! – je m'en rends compte à présent – comparés à celui inestimable, empreint de tendresse, de douceur, de bonté, qui plonge dans un long sommeil sans rêves les douleurs qui affligent les corps et les hontes et les chagrins qui rongent les esprits et les cœurs.

---

it a democratic country is a misnomer : *ce pays ne mérite pas le nom de démocratie.*

15. **merely** (adv) : **mere** (adj) *pur et simple* (**nothing more than, no better than**) ; **they are mere swindlers** : *ce sont tout simplement des filous.*

16. **lend(ings), lent, lent** : *prêter* (de l'argent...)

17. **last(ing)** : *durer* ; **everlasting, eternal.**

18. **true** : *vrai* ; **truth** : *la vérité.*

19. **store : stock, supply.**

20. **valueless** (*sans valeur*), **penniless, childless**... : *sans valeur, sans le sou* (adj composés avec **–less**) ; on a trois lignes plus bas : **dreamless.**

21. **enduring : endure : last, continue, persist.**

"Bring it! I am weary, I would rest"

The fairy came, bringing again four of the gifts, but Death was wanting[1]. She said:

"I gave it to a mother's pet[2], a little child. It was ignorant, but trusted[3] me, asking me to choose for it[4]. You did not ask me to choose."

"Oh, miserable me! What is there left for me[5]?"

"What not even you have deserved: the wanton[6] insult of Old Age."

---

1. **wanting : missing, lacking** (*manquant*).

2. **pet : darling, idol, apple of her mother's eye** (*la prunelle de ses yeux*).

3. **it was ignorant... to choose for it** : un jeune bébé est souvent neutre en anglais.

4. **trust(ed) sb** (transitif) : *faire confiance à qqn* ; **trustful, trusting** : *qui a confiance* ; **he is too trustful of people** : *il fait trop confiance aux gens.*

5. **what is there left for me? I have nothing left. Have you got anything left? I've three pounds left** (construction avec **left**).

6. **wanton : unmotivated, undeserved, gratuitous, capricious.**

Portez-le-moi. Je suis las. Je voudrais trouver le repos.

La fée se présenta, apportant de nouveau quatre des cadeaux, mais il manquait la Mort. Elle dit :

— Je l'ai donné à un petit enfant, le chéri de sa mère. Il était ignorant mais il m'a fait confiance. Il m'a demandé de choisir pour lui. Vous ne m'avez pas demandé de choisir.

— Oh ! misérable que je suis ! Que me reste-t-il ?

— Ce que vous n'avez pas même mérité. L'insulte gratuite du Grand Âge.

13

Auteur anonyme

A Mother's Sorrow

Le Chagrin d'une mère

A company of Southern[1] ladies, assembled in a parlor[2], were one day[3] talking about their different troubles[4]. Each had something to say about her own[5] trials[6]. But there was one in the company, pale and sad-looking, who for a while[7] remained silent. Suddenly rousing herself, she said:

"My friends, you do not any of you know what trouble is."

"Will you please, Mrs. Gray," said the kind voice of one who knew her story, "tell the ladies what you call trouble."

"I will, if you desire it."

"My parents were very well off, and my girlhood[8] was surrounded by all the comforts of life. Every wish[9] of my heart was gratified, and I was cheerful and happy.

"At the age of nineteen I married one whom I loved more than all the world besides[10]. Our home was retired[11], but the sun never shone upon a lovelier spot[12] or a happier household[13]. Years rolled on peacefully[14]. Five lovely children sat around our table, and a little curly[15] head still nestled[16] in my bosom.

"One night about[17] sundown one of those fierce, black storms came up, which are so common to our Southern climate. For many hours the rain poured down[18] incessantly. Morning dawned[19], but still the elements raged. The country around us was overflowed[20]. The little stream near our dwelling[21] became a foaming torrent. Before we were aware of it, our house was surrounded by water.

---

1. de même : **northern, eastern, western.**
2. **parlor** (US), **parlour** (GB).
3. **one day**, pas **a** dans ce sens ! De même, plus bas, **one night**.
4. **trouble(s)** : le mot revient comme un leitmotiv dans toute la nouvelle (*souci, tourment, ennui, malheur, affliction...*).
5. **own** : *propre, personnel* ; **this is my own book, not yours!** ; **to own** : **posséder** ; **owner** : *possesseur, propriétaire*.
6. **trial** : **to try**, *éprouver, mettre à l'épreuve* (pas seulement *essayer* !)
7. **a while** : à ne pas confondre avec **while** conjonction : *tandis que*.
8. **girlhood** : *état, période de l'enfance* ; **boyhood, manhood, womanhood...**
9. **wish** : *souhait, vœu*.
10. **besides** : **in addition, morever** ; **beside** (sans **s**) : *à côté (de)*.

Des femmes du Sud, réunies dans un salon, parlaient un jour de leurs différents malheurs. Chacune avait quelque chose à dire sur ses drames personnels. Mais il y en avait une parmi elles, pâle, l'air triste, qui, pendant un certain temps, demeura muette. S'animant tout à coup, elle déclara :

— Mes amies, vous ne savez pas, aucune d'entre vous ! ce que c'est que la détresse.

— Voulez-vous, s'il vous plaît, Mrs Gray, dit d'une voix douce l'une d'entre elles, qui connaissait son histoire, voulez-vous dire à ces dames ce que vous entendez par détresse ?

— Je vais le faire, si vous le désirez. Mes parents étaient très riches et, enfant, j'ai bénéficié de tout le confort possible. Tous les désirs auxquels j'aspirais ont été comblés. J'étais joyeuse et heureuse. À l'âge de dix-neuf ans j'ai épousé quelqu'un que j'aimais plus que tout au monde. Notre maison était isolée mais le soleil n'a jamais brillé sur un coin de terre plus beau ni sur une maisonnée plus heureuse. Les années s'écoulaient, paisibles. Cinq beaux enfants mangeaient à notre table et une petite tête bouclée se nichait encore contre mon sein.

Un soir, peu après le coucher du soleil, un de ces orages noirs, violents, si courants sous nos climats du Sud, a éclaté. Sans discontinuer, la pluie est tombée en trombe pendant de nombreuses heures. Lorsque l'aube s'est levée, les éléments étaient toujours déchaînés. La campagne à l'entour était submergée. Le petit cours d'eau près de notre habitation s'était transformé en un torrent écumeux. Avant que nous nous en soyons rendu compte, notre maison était encerclée par l'eau.

---

11. **retired : away from, secluded.**
12. **spot ; beauty spot** : *site touristique.*
13. **household** : *personnes demeurant dans une même maison.*
14. **peacefully : peace** : la *paix* ; **make peace not war** (*la guerre*).
15. **curly : curl** : *boucle* ; **to curl** : *boucler, friser, onduler.*
16. **nestled : nest** : *nid.*
17. **about** (**expressing approximation**) **sundown** (US), **sunset** (GB).
18. **pour(ed) down : rain cats and dogs** (*pleuvoir des cordes*).
19. **dawn(ed)** : *poindre, paraître* (jour) ; **dawn** (n) *aube, aurore.*
20. **overflowed : to flow over** : *déborder* ; **to flow** : *couler* (rivière...).
21. **dwell(ing), dwelt, dwelt** : *habiter, résider.*

"I managed, with my babe[1], to reach a little elevated spot, where the thick foliage of a few wide-spread[2] trees afforded[3] some protection, while my husband and sons strove[4] to save what they could of our property. At last a fearful surge swept away[5] my husband, and he never rose again. Ladies, no one ever[6] loved a husband more. But that was not trouble.

"Presently[7] my sons saw their danger, and the struggle for life became the only[8] consideration. They were as brave, loving boys as ever blessed[9] a mother's heart; and I watched their efforts to escape, with such an agony[10] as only mothers can feel. They were so far off that I could not speak to them; but I could see them closing[11] nearer and nearer[12] to each other, as their little island grew smaller and smaller.

"The swollen[13] river raged fearfully around the huge trees. Dead branches, upturned trunks, wrecks[14] of houses, drowning[15] cattle, and masses of rubbish, all went floating past us. My boys waved their hands to me, and then pointed upward[16]. I knew it was their farewell signal; and you, mothers, can imagine my anguish. I saw them perish—all perish. Yet that was not trouble.

---

1. **babe** : ici = **baby**. L'emploi qu'on trouve dans le texte est obsolète ; La forme **babe** s'emploie aujourd'hui comme vocatif dans les milieux populaires, surtout par des hommes qui en s'adressent à leur petite amie ou à leur femme.

2. **wide-spread** : **wide, broad** : *large* ; **spread, spread, spread** : *se déployer, s'étendre* ; **a plain spread at our feet** : *une plaine s'étendait à nos pieds.*

3. **afford(ed)** : (ici) *fournir, procurer.*

4. **strove** : **did their very best** ; **strive, strove, striven.**

5. **swept away** : **sweep, swept, swept** : *balayer.*

6. **ever** et non pas **never** car il y a déjà une négation (**no one, nobody**).

7. **presently** : (US) **at the present time, now** ; (GB) **after a short time, soon.**

8. **only** (adj) : *seul, unique* (**an only child**) mais aussi *seulement.*

9. **bless(ed)** : *donner le bonheur, le succès, la santé à.* **God bless you!** *Dieu vous bénisse !*

J'ai réussi avec mon bébé à parvenir à un petit endroit surélevé où l'épais feuillage de quelques arbres aux larges ramures m'a servi de refuge pendant que mon mari et mes fils s'efforçaient de sauver ce qu'ils pouvaient de nos biens. Enfin une montée furieuse des eaux a emporté mon époux et il n'est jamais remonté à la surface. Mesdames, personne n'a jamais aimé son mari plus que moi. Mais ça, ce n'était pas encore la détresse.

Bientôt mes fils ont vu arriver le danger et la lutte pour la vie est devenue leur seule préoccupation. C'étaient les garçons les plus courageux et les plus affectueux qui aient jamais comblé le cœur d'une mère. J'ai assisté aux efforts qu'ils accomplissaient pour échapper à la catastrophe, avec une angoisse que seule une mère peut ressentir. Ils étaient si loin que je ne pouvais pas leur parler. Mais je les voyais qui se tenaient de plus en plus près l'un de l'autre à mesure que leur îlot se faisait de plus en plus petit.

La rivière, grossie, menaçante faisait rage autour des arbres immenses. Des branches mortes, des troncs arrachés, des décombres de maisons, des animaux qui se noyaient, des tas d'immondices, tout passait devant nous, emporté par le courant. Mes garçons m'ont fait signe de la main puis ils ont pointé le doigt vers le ciel. J'ai compris qu'ils me disaient adieu. Et vous autres, mères, vous pouvez imaginer mon angoisse. Je les ai vus périr, tous les deux. Et pourtant ça, ce n'était pas encore la détresse.

---

10. **such <u>an</u> agony** : notez la position de l'article avec **such** ; **agony** (faux ami) : **suffering, anguish, torment** ; **death throes** : *agonie.*

11. **see them clos<u>ing</u>** ... : **–ing** après les verbes de perception quand l'action dure un certain temps ou infinitif sans **to** si elle est brève (**I saw them <u>perish</u>**).

12. **nearer and nearer... smaller and smaller** : *de plus en plus* avec l'adjectif court ; avec l'adjectif long : **<u>more and more</u> comfortable**.

13. **swell, swelled, swollen** : *(se) gonfler, (s')enfler, (se) grossir.*

14. **wreck(s)** : *épave* (de navire...) ; **a human wreck** : *une loque humaine.*

15. **drown(ing)** : *se noyer, mourir noyé.*

16. **upward** (US), **upward<u>s</u>** (GB) : vers le haut ; **downward(s)** : *vers le bas.*

"I hugged my baby close to[1] my heart; and when the water rose at my feet, I climbed into the low branches of the tree, and so kept retiring[2] before it, till the hand of God stayed[3] the waters, that they should rise no farther[4]. I was saved. All my worldly[5] possessions were swept away; all my earthly hopes were blighted[6]. Yet that was not trouble.

"My baby was all I had left[7] on earth. I labored[8] day and night to support[9] him and myself, and sought[10] to train him in the right[11] way. But, as he grew older[12], evil companions won him away from me[13]. He ceased to care[14] for his mother's counsels; he sneered at[15] her entreaties and agonizing[16] prayers. He became fond of drink. He left my humble roof[17], that he might be unrestrained in his evil ways. And at last one night, when heated[18] by wine, he took the life of a fellow creature[19]. He ended his days upon the gallows. God had filled my cup of sorrow before; now it ran over. That was trouble, my friends, such as I hope the Lord[20] of mercy will spare[21] you from ever knowing."

---

1. **close to : very near.**

2. **kept retiring : keep doing sth, continue doing sth ; keep, kept, kept** : *garder.*

3. **stay(ed) : (ici) stop.**

4. **farther** ou **further** : comparatif de **far** (loin).

5. **worldly... earthly** : formation d'adj par addition de **–ly** au nom.

6. **blight(ed) : ruin, spoil.**

7. **all I had left** ou **all that I had left.**

8. **labor(ed)** (US), **labour(ed)** (GB).

9. **to support** (faux ami) : **to provide oneself with the money to pay for food,** etc. ; **provide for one's family ; to bear, bore, borne** : *supporter.*

10. **seek to do sth, sought, sought : try to do sth.**

11. **right** : contraire de **wrong.**

J'ai pressé mon bébé contre mon cœur et quand l'eau est arrivée au niveau de mes pieds, j'ai grimpé dans les branches basses de l'arbre et continué ainsi à m'en échapper jusqu'à ce que la main de Dieu l'ait arrêtée et l'ait empêchée de monter plus haut. J'étais sauvée. Tous mes biens matériels étaient perdus, emportés par les eaux, tous mes espoirs sur cette terre anéantis. Et pourtant ça, ce n'était pas encore la détresse.

Mon bébé était tout ce qui me restait au monde. Je trimais jour et nuit pour subvenir à ses besoins et aux miens et j'ai fait de mon mieux pour l'élever dans le droit chemin. Mais, à mesure qu'il grandissait, de mauvais camarades l'ont éloigné de moi. Il a cessé d'écouter les conseils de sa mère. Il s'est moqué de ses supplications et de ses prières désespérées. Il s'est mis à aimer la boisson. Il a quitté mon humble maison afin de ne pas être entravé dans ses mauvaises habitudes. Et enfin, une nuit, alors qu'il était échauffé par le vin, il a ôté la vie à l'un de ses compagnons. Il a fini ses jours condamné au gibet. Dieu avait rempli ma coupe de chagrin avant cela ; à présent elle débordait. Voilà, mes amies, ce que c'est que le vrai tourment, celui, je l'espère, que le Dieu de miséricorde vous épargnera à tout jamais.

---

12. **grew older** ou **became older** ; **grow, grew, grown** + adj : *devenir.*
13. **won him away from me** : **win, won, won** : *gagner* ; **away** : (*au*) *loin.*
14. **care** : **be concerned, be interested** ; **I don't care** : *je m'en moque.*
15. **sneer**(**ed**) **at** : **disdain, mock, scoff at.**
16. **agonizing** : *douloureux, intense.*
17. **roof** : (premier sens) *toit* ; **roofless** : **having no house or home.**
18. **heated** : **made furious, violent, enraged** ; **heat** (n) : *chaleur.*
19. **fellow creature, fellow being** : *semblable* ; **fellow traveller** : *compagnon de voyage* ; **fellow worker** : *collègue.*
20. **the Lord** (**Jesus Christ**) : *le Seigneur* (*Jésus*).
21. **spare** : **refrain from punishing, destroying, harming...** ; **spare oneself** : se ménager ; **spare somebody's feelings** : *ménager les sentiments de qqn.*

14

Charles M. Skinner

Agnes Surriage

Agnes Surriage

Charles Montgomery Skinner (1852-1907), fils d'un pasteur de l'Église universaliste, a débuté dans le journalisme. Il a été l'éditeur du journal ***Brooklyn Eagle*** qui a compté parmi ses directeurs le célèbre poète américain Walt Whitman auquel il a consacré une étude. Son œuvre majeure s'intitule ***Myths and Legends of our Own Land***.

When, in 1742, Sir Henry Frankland, collector of the port of Boston, went to Marblehead to inquire into the smuggling[1] that was pretty[2] boldly[3] carried on, he put up[4] at the Fountain Inn[5]. As he entered that hostelry[6] a barefooted[7] girl, of sixteen, who was scrubbing the floor, looked at him. The young man was handsome, well dressed, gallant[8] in bearing[9], while Agnes Surriage, maid of all work, was of good figure, beautiful face, and modest demeanor[10]. Sir Henry tossed out a coin, bidding[11] her to buy shoes with it, and passed to his room. But the image of Agnes rose[12] constantly before him. He sought[13] her company, found her of ready[14] intelligence for one unschooled, and shortly after this visit he obtained the consent of her parents—humble folk[15]—to take this wild flower to the city and cultivate it.

He gave her such an education as the time[16] and place afforded[17], dressed her well, and behaved with kindness toward her, while she repaid this care with the frank bestowal[18] of her heart. The result was not foreseen[19]—not intended[20]—but they became as man and wife without having wedded[21]. Colonial[22] society was scandalized, yet the baronet loved the girl sincerely and could not be persuaded to part from her.

---

1. **smuggling : to smuggle** : *passer en contrebande* ; **smuggler** : *contrebandier.*

2. **pretty** ici est adverbe : **quite, rather, fairly** ; (adj) *joli.*

3. **boldly** : *effrontément* ; **bold** : *assuré, effronté.*

4. **put up** : de l'importance de la particule adverbiale quant au sens du verbe !

5. **inn** : *auberge* (**hostlery** peu employé) ; **innkeeper** : *aubergiste.*

6. **entered that hostelry** : **enter** sans préposition !

7. **barefooted** : **with bare feet** ; adj composé avec faux participe passé en **–ed** : **long-haired** (*aux cheveux longs*), **blue-eyed** (*aux yeux bleus*)...

8. **gallant** (faux ami) : (ici) **chivalrous, gentlemanly, courteous.**

9. **bearing** : **carriage, posture, attitude.**

10. **demeanor** (US), **demeanour** (GB) : **appearance, « bearing ».**

11. **bid, bade** ou **bid, bid** ou **bidden** : *ordonner, enjoindre.*

12. **rise, rose, risen** : (m. à m.) *se lever.*

Lorsque, en 1742, Henry Frankland, receveur des douanes au port de Boston, se rendit à Marblehead pour enquêter sur la contrebande qui se pratiquait sans vergogne, il descendit au Fountain Inn. Comme il entrait dans cette auberge, une fille de seize ans, pieds nus, qui frottait le sol, lui jeta un coup d'œil. Le jeune homme était beau, bien habillé, d'un noble maintien, tandis qu'Agnes Surriage, bonne à tout faire, avait une belle silhouette, un beau visage et une modeste allure. Sir Henry lui jeta une pièce, lui enjoignant d'acheter des chaussures avec cet argent, puis il se rendit dans sa chambre. Mais l'image d'Agnes se présenta constamment devant lui. Il rechercha sa compagnie, la trouva d'une intelligence vive pour quelqu'un qui n'avait aucune instruction et, peu après ce séjour, il obtint de ses parents – gens de basse condition – d'emmener cette fleur sauvage dans la grande ville et de la cultiver.

Il lui donna toute l'instruction qu'offraient l'époque et les lieux, lui fournit de beaux habits et se comporta avec bonté à son égard tout comme elle-même le payait de ses attentions en lui offrant généreusement son cœur. Le résultat fut imprévu et non prémédité mais ils vécurent comme mari et femme sans s'être mariés. La société coloniale fut scandalisée mais le baronnet aimait sincèrement la fille et personne ne pouvait le convaincre de s'en séparer.

---

13. **seek, sought, sought** : *chercher* ; **seek to do** : *tenter, essayer de faire.*

14. **ready** : 1. *prêt*. 2. (ici, sens moins répandu) *vif.*

15. **folk** ou **folks** : **people**.

16. **the time** (ici) : **epoch, era, period.**

17. **afford(ed)** ou **provide(d)** : *fournir, offrir, mettre à disposition.*

18. **bestowal** (*octroi* d'une faveur, d'un honneur, d'un titre...) vient de **to bestow upon** : *accorder, conférer, octroyer à.*

19. **foresee, foresaw, foreseen** : *prévoir, présager.*

20. **intend(ed) to do sth** : *avoir l'intention de faire qqch.*

21. **having wedded, having married** (plus courant) ; **wedding** : *mariage* (cérémonie).

22. **colonial** se réfère ici à la période où les treize colonies d'origine formaient les États-Unis.

Having occasion to visit England he took Agnes with him and introduced[1] her as[2] Lady Frankland, but the nature of their alliance had been made known to his relatives[3] and they refused to receive her. The thought[4] of a permanent union with the girl had not yet presented itself to the young man. An aristocrat could not marry a commoner. A nobleman might destroy the honor of a girl for amusement, but it was beneath his dignity to make reparation for the act.

Sir Henry was called to Portugal in 1755, and Agnes went with him. They arrived inopportunely in one respect[5], though the sequel showed a blessing[6] in the accident; for while they were sojourning in Lisbon the earthquake occurred[7] that laid the city in ruins and killed sixty thousand people. Sir Henry was in his carriage[8] at the time and was buried[9] beneath a falling wall, but Agnes, who had hurried[10] from her lodging at the first alarm, sped[11] through the rocking[12] streets in search of[13] her lover. She found him at last[14], and, instead of crying or fainting[15], she set to work to drag away[16] the stones and timbers[17] that were piled upon him[18].

---

1. **introduce(d)** : **she introduced me to her sister** : *elle m'a présenté à sa sœur.*

2. **as** : *comme, en tant que.*

3. **relatives** : *parents* ; **parents** : *parents* (père et mère seulement) ; **he is a relative of mine** : *il fait partie de ma famille.*

4. **thought** (n) *pensée* ; **think, thought, thought** : *penser, réfléchir.*

5. **respect** (faux ami ici) : **in many respects** : *à bien des égards.*

6. **the sequel showed a blessing** ou **proved to be a blessing** ; **show, showed, shown** (verbe intransitif ici) : *s'avérer, se révéler.*

7. **occur(red), happen** : *arriver* (pour un événement).

8. **carriage** : *voiture* (généralement de maître), *équipage* ; **a carriage and pair** : *une voiture à deux chevaux.*

Ayant l'occasion de se rendre en Angleterre, il y emmena Agnes et la présenta sous le nom de Lady Frankland mais la nature de leur relation avait été divulguée à sa famille et celle-ci refusa de la recevoir. L'idée d'une union permanente avec Agnes n'était pas encore venue à l'esprit du jeune homme. Un aristocrate ne saurait épouser une roturière. Un noble pouvait bien salir l'honneur d'une jeune fille pour s'amuser mais il était indigne de son rang que de réparer le mal causé.

Sir Henry fut appelé au Portugal en 1755 et Agnes l'accompagna. Ils tombèrent mal en un sens bien que la suite des événements se révélât être une bénédiction dans des circonstances pourtant malheureuses ; en effet, pendant qu'ils séjournaient à Lisbonne eut lieu le tremblement de terre qui fit de la ville un champ de ruines et tua six mille personnes. Sir Henry se trouvait dans sa calèche au moment du drame et il fut enfoui sous un mur qui s'écroulait; quant à Agnes, sortie précipitamment de son logement dès la première alerte, elle sillonna à vive allure les rues chancelantes à la recherche de son amoureux. Elle finit par le trouver et au lieu de pleurer ou de perdre courage, elle entreprit de dégager les pierres et les madriers qui s'étaient amoncelés sur lui.

---

9. **buried** : (m à. m.) *enterré*; **to bury**; **a burial** : *un enterrement*. Attention à la prononciation : **bury** ['berɪ], **burial** ['berɪəl].

10. **hurried** : **to hurry** : *se dépêcher, se hâter* (d'où *précipitamment*).

11. **speed, sped, sped** : *aller vite, se hâter*; **speed** : *vitesse*.

12. **rock(ing)** : (ici) *osciller, chanceler, être ébranlé, secoué*.

13. **in search of** ou **searching**; **to search** : *faire des recherches, fouiller*.

14. **at last** : *enfin ou, plus fort*, **at long last** (*à la fin des fins*).

15. **faint(ing)** : (ici) (sens vieilli) *perdre courage*; *s'évanouir* (sens courant).

16. **set to work to drag away (to remove)** : **began dragging away.**

17. **timber(s)** : **wood used for building houses.**

18. **piled** ou **heaped upon him**; **a pile, a heap** : *un tas*.

Had she been[1] a delicate creature, her lover's equal in birth, such as Frankland was used to dance with[2] at the state[3] balls, she could not have done this[4], but her days of service at the inn had given her a strength[5] that received fresh accessions[6] from hope and love. In an hour[7] she had liberated him, and, carrying him to a place of safety[8], she cherished the spark of life until[9] health returned. The nobleman had received sufficient proof of Agnes's love and courage. He realized[10], at last, the superiority of worth[11] to birth. He gave his name, as he had already given his heart, to her, and their married life was happy.

1. **had she been** ou **if she had been.**
2. **was used to dance with** ou **was in the habit of dancing with.**
3. **state** (adj) : *de cérémonie, d'apparat* ; **in state** : *en grande pompe*.
4. **she could not have done this** : passé de **can** à sens conditionnel ; les auxliaires modaux n'ayant pas de participe passé, on a donc : présent ou passé de l'auxiliaire modal + **have** + participe passé du verbe (**done**).
5. **strength** (**strong** : *fort*) ; **length** : *longueur* ; **long** : *long.*
6. **accession**(s) : (faux ami ici) *accroissement, addition.*
7. **an hour** et non pas **a, hour** faisant partie des rares mots anglais commençant par un **h** muet (**honour, honest, heir** (*héritier*)... et leurs dérivés).

Si elle avait été fragile (l'égale de son amoureux par la naissance) comme celles avec lesquelles Frankland dansait aux bals de gala, elle aurait été incapable d'agir ainsi, mais ses journées de service à l'auberge lui avaient donné une force à laquelle s'ajoutait celle née de l'espoir et de l'amour. En une heure, elle l'avait dégagé des décombres et, l'ayant porté à un endroit sûr, elle avait ranimé avec amour l'étincelle de vie qui restait en lui jusqu'à ce qu'il recouvrît ses forces. Le gentilhomme avait eu assez de preuves attestant du courage et de l'amour de la jeune fille. Il avait enfin pris conscience de la supériorité du mérite sur la naissance. Il lui donna son nom comme il lui avait déjà donné son cœur et ils vécurent une vie heureuse comme mari et femme.

---

8. **safety** : *sécurité, sûreté*; **safety belt** : *ceinture de sécurité.*

9. **until** (un seul **l** !), **till** (deux **l** !) : *jusqu'à* (*ce que*) adv ou conjonction de temps.

10. **realized** : **became conscious or aware of.**

11. **worth** : (n ici) *valeur*; (adj) *valant, ayant la valeur de*; **how much is it worth?** *ça vaut combien* ?; **it's worth several million pounds** : *ça vaut plusieurs millions de livres*; **it was worth every penny** : *ça en valait vraiment la peine.*

15

Saki

The Reticence of Lady Anne

La Réserve de Lady Anne

Saki (1870-1916) est né en Birmanie où son père était officier de police. À l'âge de deux ans, après la mort de sa mère, il fut pris en charge dans le Devon par deux tantes célibataires (« créatures impérieuses » selon la sœur de l'auteur) qui ne le rendirent pas heureux, c'est le moins qu'on puisse dire ! En manière de revanche, il en dressa des portraits au vitriol dans nombre de ses nouvelles. Celles-ci sont pleines d'invention, construites avec le plus grand soin pour aboutir le plus souvent, comme ***The Reticence of Lady Anne***, à des fins brutales et inattendues, pleines de férocité dans la description de la société édouardienne. (Graham Greene parle de la « cruauté de Munro », nom véritable de l'auteur, dans sa préface à ***The Best of Saki***.) Les **short stories** de Saki, au nombre de 135, se répartissent en quatre séries : ***Reginald***, ***Reginald in Russia***, ***The Chronicles of Clovis*** et ***Beasts and Superbeasts***.

Egbert came into the large[1], dimly[2] lit drawing room with the air of a man who is not certain whether he is entering a dovecote[3] or a bomb factory, and is prepared for either eventuality. The little domestic quarrel over the luncheon-table[4] had not been fought[5] to a definite finish, and the question was how far Lady Anne was in a mood to renew or forgo hostilities. Her pose in the arm-chair by[6] the tea-table was rather elaborately rigid; in the gloom of a December afternoon Egbert's pince-nez did not materially help him to discern the expression of her face.

By way[7] of breaking whatever ice might be floating on the surface he made a remark about a dim religious light. He or Lady Anne were accustomed to make that remark[8] between 4.30 and 6 on winter and late autumn evenings; it was a part of their married life. There was no recognized rejoinder to it, and Lady Anne made none[9].

Don Tarquinio lay astretch[10] on the Persian rug, basking[11] in the firelight with superb indifference to the possible ill-humour[12] of Lady Anne. His pedigree was as flawlessly[13] Persian as the rug, and his ruff was coming into the glory of its second winter. The page boy, who had Renaissance tendencies, had christened[14] him Don Tarquinio[15]. Left[16] to themselves, Egbert and Lady Anne would unfailingly[17] have called him Fluff[18], but they were not obstinate.

---

1. **large** : (faux ami) *grand, spacieux* ; **wide, broad** : *large*.
2. **dimly** (adv) : **dim** : *faible* (lumière...).
3. **dovecot** : **dove** : *colombe* ; **turtledove** : *tourterelle* ; **cot** : *abri*.
4. **over the luncheon-table** : cf traduction ; **we'll dicuss it over a drink** : *nous en discuterons autour d'un verre* ou *en prenant un verre* ; aussi **over** : *au-dessus de, sur* (sans contact, au propre et au figuré).
5. **fight, fought, fought** : *livrer* (combat, bataille) ; aussi : *se battre, lutter*.
6. **by** ou **near** ; **sit by me** ou **by my side** ; **by the sea** : *au bord de la mer*.
7. **way** : *façon, manière* (d'agir, d'être) ; **I do it this way** : *voilà comment je le fais*.
8. **accustomed to make that remark** ou **in the habit of making...** (pas **doing** !).
9. **none** : **none at all** : *aucun(e), pas un(e) seul(e)*.
10. **astretch** ; **to stretch** : *s'allonger, s'étirer*.

Egbert pénétra dans le grand salon faiblement éclairé avec l'air d'un homme qui se demande s'il entre dans un colombier ou une fabrique de bombes et s'il est prêt à affronter l'une ou l'autre de ces éventualités. La petite scène de ménage qu'ils avaient eue à table à l'heure du déjeuner n'avait pas abouti à une conclusion définitive et la question en suspens était celle-ci : dans quelle mesure Lady Anne était-elle d'humeur à reprendre les hostilités ou à y renoncer ? Son attitude, assise sur le fauteuil, près de la table mise pour le thé, était d'une rigidité assez minutieusement calculée ; dans l'obscurité d'un après-midi de décembre, le pince-nez d'Egbert ne l'aidait pas vraiment à discerner l'expression du visage de son épouse.

En guise de méthode pour rompre la moindre glace qui pouvait flotter à la surface des choses, il fit une remarque sur le caractère religieux de cette lumière tamisée. Lady Anne ou lui avait coutume d'émettre cette observation entre quatre heures et demie et six heures du soir en hiver ou à la fin de l'automne ; cela faisait partie de leur vie de couple. Il n'y avait pas de réplique attendue à cette comparaison et Lady Anne n'en émit aucune.

Don Tarquinio, étendu de tout son long sur le tapis persan, se prélassait devant le feu de cheminée, affichant une superbe indifférence devant l'éventuelle mauvaise humeur de Lady Anne. Il était, de par son pedigree, tout aussi persan que l'était le tapis et sa collerette de poils s'épanouissait à l'entrée de son second hiver. Le jeune laquais, qui avait des penchants pour la Renaissance, l'avait baptisé Don Tarquinio. Eussent-ils été seuls, Egbert et Lady Anne l'auraient à coup sûr appelé Fluff, mais ils n'étaient pas du genre à s'obstiner.

---

11. **bask(ing) : lie, relax, laze ; the cat is basking in the sunshine.**

12. **ill-humour** ou **bad humour** (plus courant). *sans défaut*

13. **flawlessly** (adv) ; **flawless** (adj) de **flaw**, *défaut, imperfection.*

14. **christen(ed)** ou **baptize. Stephen was christened after his grandfather** : *on a donné à Étienne le prénom de son grand-père.*

15. **Don Tarquinio** : héros de *Don Tarquinio*, roman historique de Frederick William Rolfe, dont l'action se déroule à l'époque des Borgia.

16. **leave, left, left** : *laisser, quitter* ; **I left him to himsef** : *je l'ai laissé seul.*

17. **unfailingly** ou **without fail** : *sans aucun doute, sûrement* ; **to fail** : *ne pas se réaliser, ne pas se produire, manquer.*

18. **Fluff** : **fluff** : *duvet, peluche* (cf plus haut : **his ruff coming into the glory of his second winter**).

Egbert poured[1] himself out some tea. As the silence gave no sign of breaking[2] on Lady Anne's initiative, he braced[3] himself for another Yermak[4] effort.

'My remark at lunch had a purely academic[5] application,' he announced; 'you seem to put an unnecessarily personal significance into it.'

Lady Anne maintained her defensive barrier[6] of silence. The bullfinch lazily[7] filled in the interval with an air from *Iphigénie en Tauride*. Egbert recognized it immediately, because it was the only air the bullfinch whistled[8], and he had come to them with the reputation for whistling it. Both[9] Egbert and Lady Anne would have preferred something from[10] *The Yeomen of the Guard*[11], which was their favourite opera. In matters artistic they had a similarity[12] of taste. They leaned[13] towards[14] the honest and explicit in art, a picture, for instance, that told its own story, with generous assistance[15] from its title. A riderless[16] warhorse with harness in obvious disarray, staggering[17] into a courtyard full of pale swooning[18] women, and marginally noted 'Bad News[19],' suggested to their minds[20] a distinct interpretation of some military catastrophe. They could see what it was meant[21] to convey, and explain it to friends of duller[22] intelligence.

---

1. **pour(ed)** : *verser* ; **pouring rain** : *pluie battante.*

2. **breaking** ou **being interrupted** ; **breakfast** est composé de **break** (*interrompre*) et de **fast** (le *jeûne* de la nuit, pendant laquelle on n'a pas mangé).

3. **braced himself, prepared himself, fortified himself** ; **bracing** : *vivifiant.*

4. **Yermark** : cosaque russe mort en 1585 ; (les cosaques étaient connus pour leur force brutale).

5. **academic** (faux ami ici) : **abstract, theoretical.**

6. **barrier** : (sens abstrait) *obstacle* ; **the language barrier** : *le barrage de la langue.*

7. **lazily** : (m. à m.) *paresseusement* ; **lazy** : *paresseux* (modification orthographique).

8. **the only air (which) the bullfinch whistled** : suppression très courante du relatif complément ; **this is the man (whom) I met yesterday.**

9. **both** implique l'idée de *deux* ; remarquez les différentes constructions : **both John and Peter came, both came, they both came, both of them came.**

10. **(taken) from.**

11. ***The Yeomen of the Guard*** [gaːʳd] : opérette très populaire en

Egbert se servit du thé. Comme le silence ne donnait aucun signe de s'interrompre sur l'initiative de Lady Anne, Egbert s'arma de courage pour fournir un nouvel effort titanesque.

— Ma remarque au déjeuner était d'une portée purement générale, annonça-t-il, vous semblez lui accorder une importance personnelle inutile.

Lady Anne, sur la défensive, s'en tint encore à un mur de silence. Le bouvreuil, indolent, combla le vide avec un air extrait de *Iphigénie en Tauride*. Egbert le reconnut sur-le-champ car c'était le seul que sifflait l'oiseau et celui-ci était entré en leur possession avec la réputation de savoir l'exécuter. Egbert et Lady Anne auraient tous deux préféré un morceau tiré de *The Yeomen of the Guard*, leur opérette favorite. En matière d'art ils avaient les mêmes goûts. Leur préférence allait à la transparence et à l'explicite, par exemple à un tableau dont le sujet parlait de lui-même, assorti d'une ample assistance apportée par la légende. Un destrier sans cavalier, avec le harnais visiblement en désordre, pénétrant, chancelant, dans une cour pleine de femmes blêmes, évanouies, le tout intitulé en marge « Mauvaise nouvelle », suggérait à leur esprit une claire interprétation de quelque catastrophe militaire. Ils étaient à même de comprendre ce que cela était destiné à porter comme message et de l'expliquer à des amis d'une intelligence plus lente.

Angleterre, créée en 1888, du librettiste W.S. Gilbert (1836-1911) et du compositeur Arthur Sullivan (1842-1900) ; **yeoman** : *hallebardier.*

12. **similarity** ; **similar** (adj), **resembling.**

13. **lean, leaned** ou **leant, leaned** ou **leant** : *pencher, s'incliner.*

14. **towards** : *vers* ; (US) **toward.**

15. **assistance** : **help** ; **to assist, to help.**

16. **riderless** : rôle du suffixe **–less** : **childless, heartless**...

17. **stagger(ing)** : *chanceler, tituber.*

18. **swoon(ing)** : **faint** (plus courant) *s'évanouir, défaillir, perdre connaissance.*

19. **news** : *des nouvelles* ; **a piece of news** : *une nouvelle* ; de même : **furniture** : *des meubles* ; **a piece of furniture** : *un meuble.*

20. **their minds** (à tous les deux) ; **both came in their cars** (chacun dans sa voiture) mais **the family came in their car** (dans une seule et même voiture).

21. **mean, meant, meant** : (ici) **intend** (*avoir l'intention de, vouloir, compter*) ; **I didn't mean to hurt you** : *je ne voulais pas te blesser.*

22. **dull(er)** : *obtus, borné, qui a l'intelligence lente.*

The silence continued. As a rule[1] Lady Anne's displeasure[2] became articulate[3] and markedly voluble after four minutes of introductory muteness[4]. Egbert seized the milk-jug and poured some of its contents into Don Tarquinio's saucer; as the saucer was already full to the brim[5] an unsightly overflow was the result. Don Tarquinio looked on with a surprised interest that evanesced into elaborate unconsciousness when he was appealed to by Egbert[6] to come and drink[7] up some of the spilt[8] matter. Dom Tarquinio was prepared to play[9] many rôles[10] in life, but a vacuum carpet-cleaner was not one of them.

'Don't you think we're being rather foolish[11]?' said Egbert cheerfully[12].

If Lady Anne thought so she didn't say so.

'I daresay the fault has been partly on my side,' continued Egbert, with evaporating cheerfulness. 'After all, I'm only human, you know. You seem to forget that I'm only human.'

He insisted on the point, as if there had been unfounded suggestions that he was built[13] on Satyr lines, with goat continuations where the human left off[14].

The bullfinch recommenced its air from *Iphigénie en Tauride*[15]. Egbert began to feel depressed. Lady Anne was not drinking her tea.

---

1. **as a rule** ou **usually**.
2. **displeasure** : le préfixe **dis–** (comme **un–** et **in–**, plus courants) sert à former des contraires ; **displeased** : *mécontent* ; **dishonest**...
3. **articulate** : **fluent, eloquent, clear** (le contraire : **inarticulate**).
4. **mute(ness)** : **silent, speechless, wordless** ; à ne pas confonfre avec **dumb** (*muet, incapable de parler*) ; **deaf-and-dumb** : *sourd-muet*.
5. **full to the the brim** ou **brimful** ; **brim** : *bord* (de tasse, bol).
6. **he was appealed to by Egbert** : la préposition est maintenue à la forme passive ; **you'll be waited for** : *on vous attendra*.
7. **to come and drink** : infinitifs et impératifs reliés par **and** ; **come and see me next Tuesday** : *venez me voir mardi prochain*.

Le silence perdurait. De manière générale, le mécontentement de Lady Anne se faisait éloquent et franchement volubile au bout de quatre minutes d'un mutisme préliminaire. Egbert prit le pot à lait et versa une partie de son contenu dans la soucoupe de Don Tarquinio ; comme celle-ci était déjà trop pleine, il en résulta un débordement peu esthétique. Don Tarquinio observa la scène avec un intérêt mêlé de surprise, qui se dissipa avant de se transformer en une indifférence calculée lorsque Egbert l'appela pour venir boire une partie du liquide répandu. Don Tarquinio était disposé à jouer bien des rôles dans la vie mais celui d'aspirateur n'en faisait pas partie.

— Ne trouvez-vous pas que nous nous comportons d'une manière complètement stupide ? demanda Egbert d'un ton jovial.

Si Lady Anne le pensait, elle n'en dit mot.

— Je suppose que la faute m'en incombe en partie, poursuivit Egbert avec une jovialité qui allait s'amenuisant. Après tout, je ne suis qu'un homme, vous savez. Vous semblez oublier que je ne suis qu'un homme.

Il insista sur ce point comme s'il avait été suggéré sans fondement que sa constitution était moulée sur celle du satyre, avec des prolongements de bouc là où l'élément humain disparaissait.

Le bouvreuil reprit son air extrait de *Iphiginie en Tauride*. Egbert commença à se sentir gagné par la dépression. Lady Anne ne buvait pas son thé.

---

8. **spill, spilt, spilt** ou **spilled** (US : **spilled, spilled**).

9. **prepared to play** ou **ready to play**.

10. **rôle**(s) ou **part**.

11. **we're being rather foolish** ou **behaving rather foolishly** (notez cet emploi de **be**).

12. **cheerfully** (adv), **cheerful** (adj), **happy, joyful**.

13. **build, built, built** : *bâtir*.

14. **leave off, left, left** : **stop, cease** ; **where did we leave off?** *Où en étions-nous ?*

15. Opéra du compositeur allemand Christoph Willibald Gluck (1714-1787).

Perhaps she was feeling unwell[1]. But when Lady Anne felt unwell she was not wont to be[2] reticent[3] on the subject. 'No one knows what I suffer from[4] indigestion' was one of her favourite statements; but the lack of[5] knowledge[6] can only have been caused by defective listening[7]; the amount of information[8] available on the subject would have supplied material for a monograph.

Evidently Lady Anne was not feeling unwell.

Egbert began to think he was being unreasonably dealt with[9]; naturally he began to make concessions.

'I daresay,' he observed, taking as central a position on the hearthrug as Don Tarquinio could be persuaded to concede him, 'I may have been to blame. I am willing[10], if I can thereby[11] restore things to a happier standpoint[12], to undertake[13] to lead a better life.'

He wondered vaguely how it would be possible. Temptations came to him, in middle age, tentatively and without insistence, like a neglected butcher-boy who asks for[14] a Christmas box[15] in February for no more hopeful reason than that he didn't get one[16] in December.

He had no more idea of succumbing to them than he had of purchasing the fish-knives and fur boas that ladies are impelled to sacrifice through[17] the medium of advertisement columns during twelve months of the year. Still, there was something impressive in this unasked-for renunciation of possibly[18] latent enormities.

---

1. **unwell** : **ill, poorly, out of sorts.**

2. **wont to be...** ou **in the habit of being** (plus courant).

3. **reticent** : **undemonstrative, reserved, uncommunicative** (cf le titre).

4. **suffer <u>from</u>** : il est conseillé d'apprendre, en même temps que les verbes, les prépositions qui les accompagnent.

5. **lack of** : **absence of**; aussi **to lack sth** : *manquer de qqch* ; **he lacks self-control** : *il manque de maîtrise de soi.*

6. **knowledge** : (m. à m.) *savoir.*

7. **listening** : (gérondif ou nom verbal) : *le fait* ou *l'action d'écouter.*

8. **information** : toujours au singulier.

9. **he was being unreasonably dealt with** : forme passive employée à la forme progressive : forme progressive de **be** (**was being**) + participe passé d'un verbe (**dealt**) ; **my car is being repaired** (en ce moment même).

Peut-être était-elle souffrante. Mais lorsque Lady Anne se trouvait mal, elle n'avait pas l'habitude de se montrer discrète sur la question. « Personne n'a idée de ce que je souffre d'indigestion ! » était une de ses déclarations favorites ; mais le manque d'information ne pouvait être dû qu'à une écoute défectueuse ; la somme de renseignements disponibles sur le sujet aurait fourni matière à une monographie.

De toute évidence Lady Anne ne se sentait pas mal.

Egbert commença à se dire qu'il était traité de manière déraisonnable ; tout naturellement il se mit à faire des concessions.

— Je suppose, observa-t-il, en se plaçant au milieu du tapis pour autant qu'on réussît à convaincre Don Tarquinio de lui céder la place, je suppose que j'ai peut-être eu des torts. Je suis disposé, si je puis, ce faisant, à remettre les choses sous de plus heureux auspices, à entreprendre de vivre une vie meilleure.

Il se demanda vaguement si cela serait possible. Les tentations, alors qu'il était entre deux âges, lui venaient fugitives, peu insistantes, comme à un garçon boucher négligé qui réclame en février un cadeau de Noël sans plus d'espoir ni de raison, sous prétexte qu'il n'en a pas reçu en décembre.

Il n'envisageait pas plus d'y succomber qu'il n'avait l'idée d'acheter les couverts à poisson et les boas de plumes que les dames sont poussées à vendre sous la pression des colonnes de petites annonces pendant les douze mois de l'année. Malgré tout il y avait quelque chose d'impressionnant dans cette renonciation non sollicitée à des énormités peut-être latentes.

---

10. **willing : prepared, ready, consenting.**

11. **thereby : by that means** (*moyen*).

12. **standpoint : perspective, angle.**

13. **undertake, undertook, undertaken : begin, start.**

14. **asks for** : cf note 4 et **unasked for** (avant-dernière ligne).

15. **box** : (ici) *cadeau, présent* ; **Boxing Day** : *jour des étrennes* (26 décembre, jour férié en Angleterre, repoussé au 27 si Noël tombe un samedi).

16. **one** est souvent employé pour éviter la répétition d'un nom (ici **box**).

17. **through** : (ici) *par, par l'intermédiaire de* ; **I could do it through his intervention** : *j'ai pu le faire grâce à son intervention.*

18. **possibly : perhaps, maybe, for all one knows.**

Lady Anne showed no sign of being impressed. Egbert looked at her nervously through his glasses. To get the worst[1] of an argument with her was no new experience. To get the worst of a monologue was a humiliating novelty[2].

'I shall go and dress[3] for dinner,' he announced in a voice into which he intended some shade[4] of sternness[5] to creep[6]. At the door a final access of weakness impelled him to make a further[7] appeal.

'Aren't we being very silly?'

'A fool,' was Don Tarquinio's mental comment as the door closed[8] on Egbert's retreat. Then he lifted his velvet forepaw[9] in the air and leapt[10] lightly on to a bookshelf immediately under the bullfinch's cage. It was the first time he had seemed to notice the bird's existence, but he was carrying out[11] a long-formed theory of action with the precision of mature deliberation[12]. The bullfinch, who had fancied himself something of a despot, depressed[13] himself of a sudden into a third of his normal displacement[14]; then he fell[15] to a helpless[16] wing-beating and shrill cheeping. He had cost twenty-seven shillings without the cage, but Lady Anne made no sign of interfering. She had been dead for two hours[17].

---

1. **the worst** : superlatif irrégulier de **bad** ; comparatif : **worse.**

2. **novel(ty)** : **innovative, ground-breaking.**

3. **I shall go <u>and</u> dress** : emploi de **and** très courant.

4. **shade** : **nuance, degree.**

5. **stern(ess)** : *sévère, rigide.*

6. **creep, crept, crept** : *s'insinuer* ; premier sens : *ramper.*

7. **further** : *supplémentaire, autre* (comparatif de **far**) ; **have you any further questions?** *avez-vous d'autres questions ?*

8. **clos(ed)** : (ici) *<u>se</u> fermer.*

9. **fore(paws)** : *de devant, antérieur* ; **the fore legs and the hind legs** : *les pattes de devant et les pattes de derrière* (cf **be<u>fore</u>** et **be<u>hind</u>**).

10. **leap, leapt** ou **leaped, leapt** ou **leaped.**

Lady Anne n'eut pas du tout l'air d'être impressionnée. Egbert, agité, la regarda à travers son pince-nez. Être le perdant dans une discussion avec elle n'était pas une expérience nouvelle. Être le perdant dans un monologue était une nouveauté humiliante.

— Je vais m'habiller pour le dîner, annonça-t-il d'un ton dans lequel il voulait insinuer une certaine once de raideur. Sur le pas de la porte, un dernier accès de faiblesse le poussa à lancer un nouvel appel.

— Ne trouvez-vous pas que nous nous comportons d'une manière parfaitement stupide ?

— Imbécile ! fut le commentaire que fit Don Torquinio en son for intérieur, tandis qu'Egbert refermait la porte sur sa défaite. Puis, levant en l'air ses deux pattes avant veloutées, il sauta en souplesse sur une étagère à livres posée juste sous la cage du bouvreuil. C'était la première fois qu'il semblait remarquer l'existence de l'oiseau mais il mettait en œuvre une démarche longuement élaborée, avec une précision mûrement pesée. Le bouvreuil qui s'était pris pour une espèce de despote se réduisit tout à coup à un tiers de son volume normal puis il se mit à battre désespérément des ailes et à émettre des piaulements aigus. Il avait coûté vingt-sept shillings, sans la cage. Lady Anne ne fit pas un signe pour intervenir. Elle était morte depuis deux heures.

---

11. **carry(ing) out : perform** (*réaliser, mettre à exécution*) ; **carry** : *porter* (modification du sens du verbe par la particule adverbiale !).

12. **deliberation** (faux ami ici) vient de **deliberate** (**careful**) : *lent, mesuré.*

13. **depress(ed) : reduce.**

14. **displacement** : (sens premier) *déplacement d'un navire* (poids du volume d'eau dont un navire tient la place quand il flotte).

15. **fall to + v + ing, fell, fallen : begin doing sth.**

16. **helpless : unable to do anything to control or protect oneself.**

17. **she had been dead for two hours** (état) mais **she died two hours ago** ou **before** (action, de mourir ici).

16

Katherine Mansfield

Late at Night

Tard dans la soirée

Katherine Mansfield (1888-1923) est née en Nouvelle-Zélande où elle a passé ses premières années. Après des études à l'université de Londres, elle est retournée à Wellington mais, à l'âge de vingt ans, elle est revenue en Angleterre pour y « vivre sa vie ». En 1911, elle publie son premier recueil de nouvelles ***In a German Pension***, suivi de ***Prelude***, ***Bliss and Other Stories***, ***The Garden Party and Other Stories***... Elle n'a pas caché sa grande admiration pour Tchekhov et son art lui doit quelque chose mais son originalité est éclatante. Grâce à son impressionnisme et à son extrême sensibilité, elle a su mettre dans de brèves nouvelles plus d'intensité de vie et d'expérience humaine que dans de longs romans. Elle excelle à créer une atmosphère inoubliable et à fixer à jamais les apparences les plus fugitives, usant de la vie mouvante et insaisissable de la conscience (« stream of consciousness ») et du dialogue intérieur (comme dans ***Late at Night***).

(*Virginia is sitting by the fire-side*)

VIRGINIA (*laying*[1] *the letter down*): I don't like this letter at all—not at all. I wonder if he means[2] it to be so snubbing—or if it's just his way[3]. (*Reads.*) "Many thanks for the socks. As I have had five pairs sent me lately, I am sure you will be pleased to hear[4] I gave yours to a friend in my company[5]." No; it can't be my fancy. He must have meant it[6]; it is a dreadful snub.

Oh, I wish I hadn't sent[7] him that letter telling him to take care of himself. I'd give anything[8] to have that letter back. I wrote it on a Sunday evening too—that was so fatal. I never ought to write letters on Sunday evenings[9]—I always let myself go so. I can't think why Sunday evenings always have such a funny effect on me. I simply yearn to have someone to write to[10]—or to love. Yes that's it; they make me feel[11] sad and full of love. Funny, isn't it!

I must start going[12] to church again; it's fatal sitting in front of the fire and thinking. There are the hymns, too; one can let oneself go[13] so safely[14] in the hymns. (*She croons.*) "And then for those our Dearest and our Best"—(*but her eye lights on*[15] *the next sentence in the letter*). "It was most kind of you[16] to have knitted them yourself." Really! Really, that is too much! Men are abominably arrogant! He actually[17] imagines that I knitted them myself.

---

1. **laying** : **lay, laid, laid** : *poser* ; à ne pas confondre avec **lie, lay, lain** : *être couché*.

2. **mean, meant, meant** : (ici) *avoir l'intention de, vouloir* ; **I didn't mean to hurt you** : *je ne voulais pas vous blesser* (physiquement ou moralement).

3. **way** : (ici) *manière* ; **do it your way** : *fais-le à ta façon*.

4. **to hear** : (ici) *apprendre* (nouvelle) ; **hear from** : *recevoir des nouvelles de*.

5. **company (in which he works)**, **firm, plant** (US).

6. **must** exprime ici la certitude (d'où *certainement*).

7. **I wish I had sent** : **wish** avec le subjonctif (**had**) exprime le regret.

8. **any** dans une phrase affirmative a le sens de *n'importe*.

9. **on Sunday evenings** : les dimanches soir.

10. **someone to write to** : la suppression du relatif indirect (**whom**) entraîne le rejet de la préposition à la fin de la proposition (**someone to whom to write**).

(*Virginia est assise près du feu.*)

VIRGINIA (*posant la lettre*) : Je n'aime pas du tout cette lettre, pas du tout. Je me demande s'il la veut injurieuse ou si c'est simplement sa façon de faire. (*Elle lit.*) « Grand merci pour les chaussettes. Comme on m'en a expédié cinq paires récemment, je suis sûr que vous serez heureuse d'apprendre que j'ai donné les vôtres à un de mes camarades de travail. » Non, ça ne peut pas être mon imagination. C'est sûrement intentionnel de sa part. C'est un affront épouvantable.

Oh ! je regrette de lui avoir envoyé cette lettre dans laquelle je lui disais de prendre bien soin de lui. Je donnerais n'importe quoi pour reprendre cette lettre. Et puis je l'ai écrite un dimanche soir. C'était tellement fatal ! Je ne devrais jamais écrire de lettres le dimanche soir. Je me laisse toujours aller à un tel point ! Je n'arrive pas à comprendre pourquoi les dimanches soir ont un effet si étrange sur moi. Je brûle tout simplement d'avoir quelqu'un à qui écrire ou quelqu'un à aimer. Oui, c'est ça. Cela me rend triste et débordante d'amour. Bizarre, n'est-ce pas ?

Il faut que je reprenne le chemin de l'église. Ça m'est fatal de rester assise devant le feu, à réfléchir. Il y a les cantiques aussi ; on peut se laisser emporter en toute sécurité par les cantiques. (*Elle fredonne.*) Et puis pour les nôtres, les plus chers et les meilleurs... (*mais son regard tombe sur la phrase suivante de la lettre*) Ce fut très gentil à vous de les avoir tricotées vous-même. Vraiment ! Vraiment ! ça dépasse les bornes ! Les hommes sont d'une arrogance abominable ! Il s'imagine réellement que je les ai tricotées moi-même.

---

11. **they make me <u>feel</u>** : infinif sans **to** après **make** à la forme active ; par contre on a, à la forme passive : **he was made <u>to work</u> hard by his teacher.**

12. **I must <u>start</u> go<u>ing</u>... again** : (m. à m.) *il faut que je recommence à aller...* (forme en **–ing** avec **start**). **Start working right now!** (*dès maintenant*).

13. **<u>one</u> can let oneself go** : **one** : un des équivalents du *on* français.

14. **safely** (adv) : **safe** (adj) *sûr, sans danger* ; **safety** (n) : *sécurité, sûreté.*

15. **light**(s) **on** : **alight on** (plus courant) : *arriver d'en haut, tomber sur.*

16. **most kind <u>of</u> you.**

17. **actually** : (faux ami) **really** ; *aussi* : **in actual fact**. Le français *actuellement* se traduit par **today, currently, at present.**

Why[1], I hardly[2] know him; I've only spoken to him a few times. Why on earth[3] should I knit him socks? He must think I am far gone to throw myself at his head like that. For it certainly is throwing oneself at a man's head to knit him socks—if he's almost a stranger[4]. Buying[5] him an odd[6] pair is a different matter altogether. No; I shan't write to him again—that's definite. And besides[7], what would be the use[8]? I might get really keen on him[9] and he'd never care a straw[10] for me. Men don't[11].

I wonder why it is that after a certain point I always seem to repel people. Funny, isn't it! They like me at first; they think me uncommon, or original; but then immediately I want to show them—even give them a hint[12]—that I like them, they seem to get frightened and begin to disappear. I suppose I shall get embittered[13] about it later on. Perhaps they know somehow[14] that I've got so much to give. Perhaps it's that that frightens them.

Oh, I feel I've got such boundless[15], boundless love to give to somebody—I would care for somebody[16] so utterly[17] and so completely—watch over them—keep everything horrible away—and make them feel that if ever they wanted anything done I lived to do it. If only I felt that somebody wanted me, that I was of use[18] to somebody, I should become a different person.

---

1. **why** : (interjection ici) : (selon le contexte) *eh bien ! comment ! donc* !

2. **hardly** : **barely, scarcely.**

3. **why on earth** : (m. à m.) « *sur la terre* » (cf traduction) ou **why the devil...?**

4. **a stranger**, à ne pas confondre avec **a foreigner**, *un étranger* (d'un autre pays).

5. **buying** est ici un nom verbal avec toutes les propriétés du nom (sujet, ici : *le fait d'acheter* ; **I like skiing** (complément)...

6. **odd** : (ici) **occasional, irregular** ; **I smoke the odd cigarette** : *il m'arrive de fumer une cigarette de temps en temps* ; aussi **odd : strange, weird, bizarre.**

7. **besides** : **in addition, on top of that** ; **beside** : *à côté* (*de*).

8. **use** (n) : **benefit** ; **it would be no use** : *ça ne servirait à rien.*

Mais je le connais à peine ! Je lui ai parlé quelques fois, c'est tout. Pourquoi diable lui tricoterais-je des chaussettes ? Il doit croire que je suis complètement toquée de lui pour me jeter à sa tête comme ça. Car c'est vraiment se jeter à la tête d'un homme que de lui tricoter des chaussettes, s'il est presque un inconnu. Lui acheter une paire à l'occasion, c'est une tout autre affaire. Non, je ne lui écrirai plus, c'est décidé. Et, en outre, à quoi cela servirait-il ? Je pourrais m'éprendre de lui pour de bon et il n'en aurait rien à faire de moi. Les hommes n'en n'ont rien à faire de moi.

Je me demande comment cela se fait qu'au bout d'un certain temps il semble que je rebute les gens. Bizarre, n'est-ce pas ? Ils m'aiment bien au début. Ils me trouvent différente des autres, originale, mais ensuite, dès que je veux leur montrer ou même leur dire à mi-mot que je les aime bien, ils semblent prendre peur et ils commencent à s'éclipser. Je suppose que je vais en être aigrie plus tard. Peut-être savent-ils, je ne sais comment, que j'ai tant à donner. Peut-être est-ce cela qui les effraie.

Oh ! je sens en moi une somme d'amour infinie, infinie ! à donner à quelqu'un ; je l'aimerais d'un amour si absolu, si parfait, je veillerais sur lui, j'éloignerais de lui toutes les horreurs et lui ferais comprendre que s'il voulait que quelque chose soit accompli, je ne vivrais que pour cela. Si seulement j'avais le sentiment que quelqu'un avait besoin de moi, que je lui sois de quelque utilité, je deviendrais un être différent.

---

9. **keen (on)** : *passionné (de), enthousiaste,* (ici) *entiché (de).*

10. **straw** : premier sens : *paille* ; (ici) un *clou* en langage familier ; **it's not worth a straw** : *ça ne vaut pas un clou.*

11. **men don't (care a straw for me)** : notez l'ellipse (courante en anglais).

12. **hint** : **suggestion, innuendo, allusion** ; **to hint at** : **to allude to.**

13. **embittered** vient de **bitter** (*aigri, amer*).

14. **somehow** ou **somehow or other, in some way or another.**

15. **boundless** : *sans bornes* ; **bound** : *borne, limite.*

16. **care for somebody... watch over them, make them feel comfortable** : notez le pluriel correspondant à **somebody** (sens général *les hommes* ; ici, *les gens*).

17. **utterly** : *complètement* ; **utter** : *complet, absolu, total.*

18. **of use** ou **useful.**

Yes, that is the secret of life for me—to feel loved, to feel wanted, to know that somebody leaned on me for everything absolutely—for ever. And I am strong, and far, far richer[1] than most women. I am sure that most women don't have this tremendous[2] yearning to—express themselves. I suppose that's it—to come into flower, almost. I'm all folded[3] and shut away[4] in the dark and nobody cares. I suppose that is why I feel this tremendous tenderness for plants and sick animals and birds—it's one way of getting rid of[5] this wealth, this burden[6] of love. And then, of course, they are so helpless[7]—that's another thing. But I have a feeling that if a man were really in love with you[8] he'd be just as helpless too. Yes, I am sure that men are very helpless...

I don't know why, I feel inclined to cry to-night. Certainly not because of this letter; it isn't half important enough[9]. But I keep wondering[10] if things will ever change or if I shall go on like this until I am old—just wanting and wanting. I'm not as young as I was even now. I've got lines[11] and my skin isn't a bit[12] what it used to be[13].

I never was really pretty, not in the ordinary way, but I did have[14] lovely skin and lovely hair—and I walked well. I only caught sight of[15] myself in a glass to-day—stooping[16] and shuffling[17] along... I looked dowdy and elderly. Well, no; perhaps not quite as bad as that; I always exaggerate about myself.

---

1. **far richer** : notez ce sens de **far** devant un comparatif (*beaucoup*, *bien*).

2. **tremendous** : **great, enormous, huge** (cf aussi 3 l plus bas).

3. **fold(ed)** : (*se*) *plier*, (*se*) *replier*.

4. **shut away** : **shut** (*enfermé*) **away** (*loin, à part des autres*).

5. **get(ting) rid of** : *se débarrasser de*.

6. **burden** : *fardeau, charge* (prop et fig) ; **life had become a burden to him** : *la vie lui était devenue un fardeau*.

7. **helpless** : **defenceless, vulnerable, powerless.**

8. **if a man were really in love with you** : subjonctif (hypothèse, supposition).

9. **it isn't not half important enough** : **half** avec une forme négative sert ici à insister ; **it's not half cold !** : *il fait rudement* ou *sacrément froid !*

Oui, tel est le secret de la vie pour moi, me sentir aimée, me sentir utile, savoir que quelqu'un s'appuie sur moi pour absolument tout et à jamais. Et je suis forte et bien, bien plus riche que la plupart des femmes. Je suis convaincue que la majorité des femmes n'ont pas ce désir effréné de s'exprimer. Je suppose que c'est ça, de s'éclore, telle une fleur, pratiquement. Je suis toute recroquevillée, enfermée dans le noir et personne n'en a cure. Je suppose que c'est la raison pour laquelle j'éprouve cette infinie tendresse pour les plantes et les animaux et les oiseaux malades ; c'est une manière de me soulager de cette profusion, de ce trop-plein d'amour. Et puis, bien sûr, ils sont si désarmés... ça c'est autre chose. Mais j'ai le sentiment que si un homme était vraiment amoureux de moi, il serait tout aussi désarmé lui aussi. Oui, je suis certaine que les hommes sont tout à fait désarmés...

Je ne sais pourquoi, j'ai envie de pleurer, ce soir. Certainement pas à cause de cette lettre. Elle n'est vraiment pas d'une telle importance. Mais je n'arrête pas de me demander si ça changera un jour ou si je resterai comme ça jusqu'à ce que je sois vieille, à juste soupirer toujours et toujours. Je ne suis plus toute jeune maintenant. J'ai des rides et ma peau n'est plus du tout ce qu'elle était.

Je n'ai jamais été vraiment belle, pas selon les canons habituels, mais j'ai bel et bien eu une jolie peau et de beaux cheveux... et je ne manquais pas d'allure. Aujourd'hui même je me suis aperçue dans une glace... courbée, marchant d'un pas traînant... J'avais l'air mal fagotée et vieille. Enfin, non, je n'étais peut-être pas aussi minable que ça ; j'exagère toujours quand il s'agit de moi.

---

10. **keep wondering : continue wondering, go on wondering.**
11. **line(s) : wrinkle.**
12. **isn't a bit : isn't at all, isn't in the least** (*le moindrement*).
13. **used to** exprime un fait (ici) ou une habitude du passé, qui n'existe plus ; **there used to be nice little houses here, now there are big buildings!**
14. **I did have : do, does, did** employés à la forme affirmative expriment l'insistance (c'est la forme emphatique ou d'insitance).
15. **catch sight of, caught, caught** : **see** ; **sight** : **the act of seeing** (*la vue*).
16. **stoop(ing)** ou **have a stoop** or **walk with a stoop** : *avoir le dos voûté.*
17. **shuffling** : **to shuffle** : *traîner les pieds.*

But I'm faddy about thing now—that's a sign of age[1], I'm sure. The wind—I can't bear being blown about[2] in the wind now; and I hate having wet feet. I never used to care about those things—I used almost to revel in[3] them—they made me feel so *one* with Nature in a way. But now I get cross and I want to cry and I yearn for something to make me forget. I suppose that's why women take to[4] drink. Funny, isn't it!

The fire is going out. I'll burn this letter. What's it to me? Pooh! I don't care. What is it to me? The five other[5] women can send him socks! And I don't suppose he was a bit[6] what I imagined. I can just hear him saying[7], "It was most kind of you[8], to have knitted them yourself." He has a fascinating voice. I think it was his voice that attracted me to him—and his hands; they looked[9] so strong—they were such man's hands.

Oh, well, don't sentimentalise over it; burn it!... No, I can't now—the fire's gone out. I'll go to bed[10]. I wonder if he really meant to be snubbing[11]. Oh, I am tired. Often when I go to bed now I want to pull the clothes[12] over my head—and just cry[13]. Funny, isn't it!

---

1. **age** ou **old age**.

2. **I can't bear (the fact of) being blown about... I hate (the fact of) having wet feet** : gérondifs ou noms verbaux en position de complément d'objet direct.

3. **revel in sth** : *se délecter de* et, plus loin, **yearn for**, *aspirer à, soupirer après.* (Apprendre les verbes avec les prépositions qui les accompagnent !)

4. **take to** : verbe à particule (qui modifie parfois considérablement le sens premier du verbe) ; **put** : *mettre*, **put sb up** : *héberger qqn*, **put up with sb** : *supporter qqn*, **put off till tomorrow** : *remettre au lendemain...*

5. **other** : adj, donc invariable, mais **the others** (pronom).

6. **a bit** : *un peu* ; **a bit of everything** : *un peu de tout* ; **bit by bit** : *petit à petit.*

Mais je suis devenue maniaque maintenant ; ça, c'est un signe de vieillesse, j'en suis sûre. Le vent... je ne pas peux souffrir d'être ballottée par le vent à présent et je déteste avoir les pieds mouillés. Je me moquais de ces choses-là autrefois, j'y prenais presque plaisir. Cela me donnait tellement l'impression d'être *à l'unisson* avec la nature. Mais aujourd'hui, ça me met en colère, j'ai envie de pleurer et j'aspire à quelque chose qui me fasse tout oublier. Je suppose que c'est la raison pour laquelle les femmes se mettent à boire. Bizarre, n'est-ce pas ?

Le feu est en train de s'éteindre. Je vais brûler cette lettre. Quelle importance a-t-elle pour moi ? Peuh ! Je m'en moque ! Quelle importance pour moi ? Les cinq autres femmes peuvent lui envoyer des chaussettes ! Et je ne crois pas qu'il ressemblait le moins du monde à ce que j'imaginais. Je l'entends dire : « Ce fut très gentil à vous de les avoir tricotées vous-même. » Il a une voix qui vous fascine. Je pense que c'est sa voix qui m'a attirée... et ses mains ; elles semblent si solides, de vraies mains d'homme.

Oh ! ne fais pas de sentiment là-dessus. Brûle cette lettre !... Non, c'est impossible maintenant, le feu s'est éteint. Je vais me coucher. Je me demande s'il avait vraiment l'intention de me faire un affront. Oh ! je suis fatiguée. Souvent quand je me couche maintenant, j'ai envie de me couvrir la tête de mes draps et de pleurer, un point c'est tout. Bizarre, n'est-ce pas ?

---

7. **I can... hear him saying** : forme en **–ing** avec les verbes de perception (**hear, see, feel**) ou infinitif sans **to** et quand l'action dure peu de temps : **I heard him fall off the wall.**
8. **most kind of you.**
9. **look(ed) : seem.**
10. **go to bed** : *aller se coucher* ; **go to sleep** ou **fall asleep** : *s'endormir.*
11. **to snub** : *repousser, rejeter, snober* ; **to be snubbed,**
12. **clothes, bedclothes** : *draps de lit et couvertures.*
13. **cry** : ici, *pleurer* (cf. **weep, wept, wept**, synonyme plus littéraire).

17

Edith Nesbit

Uncle Abraham's Romance

L'Idylle de l'oncle Abraham

Edith Nesbit (1858-1924) est née à Londres mais c'est dans le Kent qu'elle a le plus longtemps vécu, profondément influencée par la nature qui l'environnait, écrivant des poèmes dès l'âge de quatorze ans. C'est par ses œuvres pour enfants qu'elle est la plus connue, en particulier ***The Railway Children*** qui a fait l'objet d'adaptations au cinéma et à la télévision. Il faut mentionner par ailleurs ***The story of the Treasure-Seekers, Five Children and It, The Enchanted Castle, The Magic World...***

"No, my dear," my Uncle Abraham answered me, "no—nothing romantic ever[1] happened to me—unless—but no ; that wasn't romantic either[2]—"

I was[3]. To me, I being eighteen, romance[4] was the world[5]. My Uncle Abraham was old and lame. I followed the gaze of his faded[6] eyes, and my own[7] rested on a miniature that hung at his elbow-chair's[8] right hand, a portrait of a woman, whose loveliness even the miniature-painter's art had been powerless[9] to disguise—a woman with large eyes that shone[10], and face of that alluring[11] oval which one hardly sees[12] nowadays.

I rose[13] to look at it. I had looked at it a hundred times. Often enough[14] in my baby days I had asked, "Who's that uncle?" and always the answer was the same: "A lady who died long ago[15], my dear."

As I looked again at the picture, I asked, "Was she like this?"

"Who?"

"Your—your romance[16]!"

Uncle Abraham[17] looked hard at me. "Yes," he said at last. "Very—very like."

I sat down on the floor by him[18]. "Won't you tell me about her?"

"There's nothing to tell," he said. "I think it was fancy mostly, and folly; but it's the realest thing in my life, my dear."

---

1. **nothing... ever** (et non pas **never** puisqu'il y a déjà une négation dans **no**thing).

2. **that wasn't romantic either** : notez cet équivalent de *non plus*.

3. **I was** (romantic).

4. **romance ; a holiday romance** : *un amour de vacances*.

5. **was the world** (*monde*) : **was extremely important**.

6. **fade(d)** : premier sens : *se faner, se flétrir, dépérir* (plante...).

7. **my own** : *les miens propres* (personnels).

8. **elbow-chair** : **armchair** (beaucoup plus courant) ; **elbow** : *coude*.

9. **powerless** : sens du suffixe **–less** (m. à m. : *sans pouvoir*). Cela, qui semble contradictoire, est, en fait, ironique dans la mesure où l'art des miniaturistes consistait souvent à masquer les imperfections de leur modèle, particulièrement celles des princesses dont les portraits étaient portés aux rois afin de favoriser des alliances à fin matrimoniale.

10. **shine, shone, shone** : *briller*.

— Non, mon p'tit, me répondit mon oncle Abraham, non, rien de romantique là-dedans, rien de romantique ne m'est jamais arrivé... à moins que... mais non, ça non plus ce n'était pas romantique.

Moi je l'étais. Pour moi qui avais dix-huit ans, une amourette, c'était tout. Mon oncle Abraham était vieux et il boitait. Je suivis le regard de ses yeux ternes et les miens se posèrent sur une miniature suspendue à droite de son fauteuil, un portrait de femme dont la beauté n'avait pas même pu être masquée par l'art du peintre – une femme aux grands yeux brillants et au visage à l'ovale séduisant, tel qu'on en voit rarement de nos jours.

Je me levai pour l'examiner. Je l'avais regardé cent fois. Assez souvent, quand j'étais tout petit j'avais demandé : « Qui c'est ça, tonton ? » et toujours la réponse avait été la même : «Une dame qui est morte il y a longtemps, mon p'tit. »

Comme je regardais de nouveau la miniature, je posai la question :

— Est-ce qu'elle ressemblait à celle-ci ?

— Qui ?

— Ta... ta petite amie ?

L'oncle Abraham me regarda longuement.

— Oui, finit-il par répondre. Oui... Beaucoup.

Je m'assis sur le sol près de lui.

— Tu ne veux pas m'en parler ?

— Il n'y a rien à dire, répondit-il. Je pense que c'était surtout de l'imagination et de la folie mais c'est l'expérience la plus authentique que j'aie jamais vécue, mon p'tit.

---

11. **alluring** de **to allure** : *attirer, séduire.*

12. **which one hardly** (**barely, scarcely** : *à peine*) **sees** : **one** est ici un des équivalents du *on* français.

13. **rise, rose, risen** : (ici) **stand up** (*se lever, se mettre debout*).

14. **often enough** : **enough** après adverbes et adjectifs (**old enough**).

15. **who died long ago** : le prétérite avec **ago** exprime combien de temps (**long**) s'est écoulé depuis la fin de l'action ; **he came five years ago**.

16. **romance** désigne ici la personne aimée elle-même (et non *idylle*).

17. **Uncle Abraham** : pas d'article **the** avec les noms de personnes précédés d'une appellation familière ou d'un titre ; **Old Brown, Queen Elizabeth**...

18. **by him, by his side, next to him.**

A long pause. I kept silent. You should always give people time [1], especially old people [2].

"I remember," he said in the dreamy tone always promising so well to the ear that loves a story—"I remember, when I was a young man, I was very lonely [3] indeed. I never had a sweetheart. I was always lame, my dear, from quite a boy; and the girls used to laugh at me [4]."

Silence again. Presently [5] he went on—

"And so [6] I got into the way of mooning [7] off by myself [8] in lonely [9] places, and one of my favourite walks was up through our churchyard, which was set [10] on a hill in the middle of the marsh country. I liked that because I never met anyone [11] there.

It's all over [12], years ago. I was a silly lad [13]; but I couldn't bear of a summer evening to hear a rustle and a whisper from [14] the other side of the hedge, or maybe [15] a kiss, as I went by.

"Well, I used to go and sit [16] all by myself in the churchyard, which was always sweet [17] with the thyme and quite light (on account [18] of its being so high) long after the marshes were dark. I used to watch the bats flitting about in the red light, and wonder why God didn't make everyone's legs straight and strong, and wicked [19] follies like that.

---

1. **you should give people time** : **you** est ici un des équivalents de *on* ; **should**, comme **ought to**, a un sens moral : **you should** ou **you ought to help the poor** (*on devrait aider les pauvres*).

2. **old people** ou **the old** (adj pris comme nom) : manières de désigner une catégorie entière : **the poor** ou **poor people** ; **the rich** ou **rich people...**

3. **lonely** : **someone who is lonely is unhappy because they are alone.**

4. **laugh** : *rire* ; **laugh at** : *se moquer de* ; **at** exprime souvent une agressivité ; **go at sb** : **attack sb.**

5. **presently** : (GB) *bientôt*, (US) *maintenant, à présent.*

6. **so** (ici) : **in consequence, consequently, therefore.**

7. **mooning** (**dreamily, languidly**).

8. **by myself, alone** (cf n 3).

9. **lonely** ou **lonesome, deserted** (appliqué ici à un lieu).

10. **set** (**set, set, set**) : **situated.**

Il se fit un long silence. Je demeurai muet. Il faudrait toujours laisser du temps aux gens pour répondre, spécialement aux vieilles personnes.

— Je me souviens, dit-il de ce ton rêveur, toujours si prometteur à l'oreille de qui aime à écouter une histoire. Je me souviens, quand j'étais jeune homme, j'étais vraiment très seul. Je n'avais jamais de petite amie. J'ai toujours boité, mon p'tit, dès mon enfance et les filles se moquaient de moi.

Nouveau silence. Bientôt il poursuivit :

— Et donc j'ai pris l'habitude de m'en aller tout seul rêvasser dans des endroits déserts, et une de mes promenades favorites me conduisait là-haut dans le cimetière qui était situé sur une colline au milieu des marais. Je m'y plaisais parce que je n'y rencontrais personne. Tout ça c'est fini, ça remonte à des années. J'étais bête, mais je ne pouvais pas souffrir, par les soirs d'été, d'entendre un bruissement ou un murmure provenant de l'autre côté de la haie, ou peut-être un baiser, quand je passais par là.

Bref, j'avais coutume d'aller m'asseoir tout seul dans le cimetière qui sentait toujours bon le thym et où il faisait encore bien jour (puisqu'il était situé sur une telle hauteur) longtemps après que les marais étaient plongés dans l'obscurité. J'observais les chauves-souris qui voletaient ici et là dans la lumière rouge et je me demandais pourquoi Dieu n'avait pas fait les jambes de tout le monde droites et solides, et autres balivernes infâmes de ce genre.

---

11. **I never met anyone** : une seule négation dans la phrase en anglais correct !

12. **over** et, plus fort, **over and done with**.

13. **a lad** : **a boy, a youth**.

14. **(coming) from**.

15. **maybe, perhaps** ; **maybe not** : *peut-être que non*.

16. **I used to go and sit** : **used to** sert à exprimer une habitude du passé. Notez les infinitifs reliés par **and** ; de même, les impératifs : **come and sit here** et d'autres formes encore : **I went and sat down** ; **I'll go and see her**.

17. **sweet** : (ici) **sweet-smelling, fragrant** (*agréable à l'odeur, parfumé*).

18. **on account of its being so high** : (m. à m.) *à cause de son fait d'être si haut* : gérondif ou nom verbal avec un adj possessif (**its**).

19. **wicked** ['wɪkɪd] : **abominable, reprehensible, sinful** (**sin** : *péché*).

But by the time the light was gone I had always worked it off[1], so to speak[2], and could go home[3] quietly, and say my prayers without bitterness[4].

"Well, one hot night[5] in August, when I had watched the sunset fade and the crescent moon grow golden[6], I was just stepping over the low stone wall of the churchyard when I heard a rustle behind me. I turned round, expecting[7] it to be a rabbit or a bird. It was a woman."

He looked at the portrait. So did I[8].

"Yes," he said, "that was her very face[9]. I was a bit scared and said something—I don't know what—she laughed and said, did I think she was a ghost? And I answered back; and I stayed talking to her over the churchyard wall till[10] 'twas quite dark, and the glow-worms were out in the wet grass all along the way home."

"Next[11] night, I saw her again; and the next, and the next. Always at twilight time; and if I passed any lovers leaning[12] on the stiles in the marshes it was nothing to me now."

Again my uncle paused. "It was very long ago," he said shyly[13], "and I'm an old man; but I know what youth[14] means, and happiness, though I was always lame, and the girls used to laugh at me."

---

1. **work(ed) off : put an end to.**
2. **so to speak** ou **as it were.**
3. **go home** : sans préposition ! (**the way home** plus loin).
4. **bitterness** : suffixe **ness** ajouté à un adj (**bitter**) (*amer*) ; **kind, kindness** (*bonté*), **useful, usefulness** (*utilité*)...
5. **one hot night** : **one** et non pas **a** dans ce sens ; **he'll come one day.**
6. **grow golden** : **grow** + adj = **become** (*devenir*) ; **grow, grew, grown.**
7. **expect(ing), want, prefer** suivis de l'infinitif avec un sujet sous forme de complément quand il s'agit d'un pronom personnel ; **I expect her to come** ; **I want him to work harder** (c'est la proposition infinitive).
8. **he looked at the rabbit. So did I** : équivalent de *moi aussi, toi*

Mais quand le jour avait disparu, j'avais toujours chassé ces idées, pour ainsi dire, et je m'en retournais en toute quiétude à la maison et faisais mes prières sans amertume.

— Or, par une chaude soirée du mois d'août, après avoir vu le soleil couchant décliner et le croissant de lune arborer ses couleurs dorées, j'étais juste en train d'escalader le petit mur de pierre du cimetière quand j'ai entendu un frôlement derrière moi. Je me suis retourné, m'attendant à voir un lapin ou un oiseau. C'était une femme.

Mon oncle regarda le portrait. Je fis de même.

— Oui, dit-il, c'était exactement son visage. J'ai eu un peu peur et j'ai dit quelque chose, je ne sais plus quoi, elle s'est mise à rire et m'a demandé si j'avais cru qu'il s'agissait d'un fantôme. Et je lui ai répondu. Et puis je suis resté à lui parler de l'autre côté du mur jusqu'à la nuit tombée ; les vers luisants avaient fait leur apparition dans l'herbe humide tout le long de mon chemin de retour .

— Le lendemain soir je l'ai revue, et le surlendemain et encore et encore. Toujours au crépuscule. Et si je passais devant des amoureux adossés aux échaliers dans les marais, cela ne me faisait plus rien .

Mon oncle marqua de nouveau un silence.

— Il y a très longtemps de cela, dit-il, l'air embarrassé, et je suis un vieil homme, mais je sais ce que veulent dire les mots jeunesse et bonheur, même si j'ai toujours été boiteux et si les filles se moquaient de moi.

---

aussi... avec **so** + l'auxiliaire au temps voulu + sujet ; **he works here, so do I**.

9. **her very face** : **very**, adj ici, marque l'insistance ; **those are his very words** : *ce sont ses mots mêmes* ; **from the very beginning** : *dès le tout début*.

10. **till** (deux **l** !), **until** (un seul **l** !) : utilisés seulement pour le temps ; **good-bye till tomorrow** ; **I'll stay here till eleven o'clock, till the end**.

11. **next** : **following** (*suivant*).

12. **leaning** : emploi de la forme en **–ing** pour désigner les positions du corps : **standing** (**debout**), **sitting** (*assis*), **lying** (allongé).

13. **shyly** (adv), **shy** (adj) : *timide, réservé, gêné, mal à l'aise*.

14. **youth** : (ici) *la jeunesse* mais aussi **a youth** : *un jeune*.

I don't know how long it went on[1]—you[2] don't measure time in dreams—but at last[3] your grandfather said I looked as if I had one foot in the grave, and he would be sending me to stay with our kin[4] at Bath, and take the waters. I had to go[5]. I could not tell my father why I would rather die than go[6]."

"What was her name, Uncle?" I asked.

"She never would tell me her name, and why should she? I had names enough in my heart to call her by[7]. Marriage? My dear, even then[8] I knew marriage was not for me. But I met her night after night, always in our churchyard where the yew-trees were, and the old crooked[9] gravestones so thick[10] in the grass. It was there we always met and always parted[11]. The last time was the night before I went away. She was very sad, and dearer than life itself. And she said—

" 'If you come back before the new moon, I shall meet you here just as usual. But if the new moon shines[12] on this grave and you are not here—you will never see me again any more'."

She laid her hand on the tomb against which we had been leaning. It was an old, lichened, weather-worn[13] stone, and its inscription was just

'SUSANNAH KINGSNORTH,
Ob[14]. 1723.'

---

1. **went on** : **on** marque la continuation ; **go on!** : *continuez !* **He went on working till midnight** : *il a continué à travailler jusqu'à minuit.*

2. **you don't measure time...** : **you** est ici un des équivalents de *on* ; selon le point de vue, on aura : **they drink tea in England** ; **we drink wine in France.**

3. **at last** ou, plus fort, **at long last** mais **lastly** (*enfin, en dernier lieu,* à la fin d'une énumération).

4. **kin** : **relatives** (plus courant) ; **parents** désigne *père* et *mère* seulement.

5. **I had to go** : **have to, have got to** est employé quand la contrainte est extérieure (ici les parents) ; **I'll have to go before six or the shop will be closed.**

6. **would rather die than go** : **would rather, had rather** suivis de l'infinitif sans **to** ; de même : **had better** : **I had better work hard if I want to succeed.**

Je ne sais pas combien de temps cela a duré. On ne compte pas le temps dans les rêves. Mais finalement ton grand-père a déclaré que j'avais l'air d'avoir un pied dans la tombe et qu'il m'enverrait séjourner chez nos parents à Bath pour y prendre les eaux. Il m'a fallu partir. Je ne pouvais pas dire à mon père pourquoi j'aurais mieux aimé mourir que de m'en aller.

— Comment s'appelait-elle, tonton ? demandai-je.

— Elle n'a jamais voulu me dire son nom et pourquoi l'aurait-elle fait ? J'avais assez de noms dans mon cœur pour la nommer. Le mariage ? Mon p'tit, je savais déjà que le mariage n'était pas fait pour moi. Mais je l'ai rencontrée soir après soir, toujours dans notre cimetière, là où il y avait les ifs et les vieilles pierres tombales, nombreuses, toutes de travers, plantées dans l'herbe. C'était toujours là que nous nous retrouvions et que nous nous séparions. La dernière fois ç'a été le soir avant mon départ. Elle était très triste et plus adorable que tout. Et elle m'a dit : « Si tu reviens avant la nouvelle lune, je te retrouverai ici, tout comme d'habitude. Mais si la nouvelle lune brille sur cette tombe et si tu n'es pas là, tu ne me reverras plus jamais. » Elle a posé la main sur la tombe sur laquelle nous nous étions appuyés. C'était une vieille pierre couverte de lichen, détériorée par les intempéries, portant la simple inscription :

SUSANNAH KINGSNORTH,
Morte en 1723

---

7. **to call her by** : **by which to call her** (suppression du relatif entraînant le rejet de la préposition). **This is the book I looked for** (**for which I looked**).

8. **even then** : (m. à m.) *même alors*.

9. **crooked**, **bent** (*courbé*), **curved** (en Angleterre les pierres tombales sont fichées [à la verticale] dans la terre).

10. **thick** : (ici) **abundant**, **abounding** ; sens plus connu : *épais*.

11. **part**(**ed**) (sans pronom réfléchi !) : *se séparer*.

12. **shine, shone, shone**.

13. **weather-worn** : **weather** (le temps qu'il fait), **time** (le temps qui se compte) (**Time is money!**) ; **worn** a ici le sens de *usé* (vêtements...).

14. ***ob*** : abréviation du latin « obiit » (**he or she died**).

" 'I shall be here[1],' I said.

" 'I mean[2] it," she said, very seriously and slowly, 'it is no fancy. You will be here when the new moon shines?'

I promised, and after a while[3] we parted.

"I had been with my kinsfolk[4] at Bath for nearly[5] a month. I was to go home[6] on the next day when, turning over a case in the parlour, I came upon[7] that miniature. I could not speak for a minute. At last I said, with dry tongue, and heart beating to the tune of heaven and hell[8]:

" 'Who is this?'

" 'That?' said my aunt. 'Oh! She was betrothed to[9] one of our family years ago, but she died before the wedding[10]. They say[11] she was a bit of witch. A handsome one[12], wasn't she?'

"I looked again at the face, the lips, the eyes of my dear lovely love, whom I was to meet to-morrow[13] night when the new moon shone on that tomb in our churchyard[14].

"'Did you say she was dead[15]?' I asked, and I hardly knew my own voice.

" 'Years and years ago! Her name's on the back, and the date—'

I took the portrait out from its case—I remember just the colour of its faded, red-velvet bed[16], and read on the back—Susannah Kingsnorth, *Ob.* 1723.'

---

1. **I shall be** : **shall**, à la forme affirmative, indique une volonté ferme du locuteur ; surtout employé à la forme interrogative avec **I** et **we**, il sert à suggérer, à proposer : **Shall I help you? Shall we go to the cinema?**

2. **mean** exprime ici une intention, une volonté ferme ; **we mean to win** : *nous comptons bien gagner.* **I didn't mean it** : *je ne l'ai pas fait exprès.*

3. **while** : nom ici, *un peu, quelque temps,* aussi **while** : *pendant que.*

4. **kinsfolk, kin** : *parents, famille* (au sens large).

5. **nearly, almost.**

6. **I was to go home** : **be to** + verbe pour parler d'un plan établi à l'avance (**on the next day**), d'un programme prévu (souvent officiel) ; **he is to arrive at six.**

7. **came upon** : **discovered by chance** (*par hasard*).

8. **to the tune of heaven** (*ciel*) **and hell** (*enfer*) : expression imagée pour dire **very fast** ; **to the tune of 600 euros** : *atteignant la coquette somme de 600 euros.*

— J'y serai sans faute, lui ai-je déclaré.

— Je ne plaisante pas, a-t-elle dit d'un ton très grave, d'une voix très lente. Ce n'est pas un caprice. Tu seras là quand la nouvelle lune brillera ?

— Je le lui ai promis et après quelques minutes nous nous sommes séparés. J'étais dans ma famille à Bath depuis près d'un mois. Je devais rentrer le lendemain quand, retournant un coffret dans le petit salon, je suis tombé sur cette miniature. Je suis resté muet quelques instants. Enfin, la langue sèche et le cœur battant la chamade, j'ai posé la question :

— Qui est-ce ?

— Ça ? a répondu ma tante. Oh ! elle était fiancée à un membre de notre famille, il y a des années, mais elle est morte avant le mariage. On dit que c'était une espèce de sorcière. Une belle sorcière, hein ?

— J'ai examiné de nouveau le visage, les lèvres, les yeux de mon cher et bel amour que je devais rencontrer le lendemain soir quand la nouvelle lune brillerait sur cette tombe dans notre cimetière.

— Tu as dit qu'elle était morte ? ai-je demandé, reconnaissant à peine ma voix.

— Il y a des années et des années ! Son nom figure derrière, avec la date...

J'ai sorti le portrait de sa boîte... je me souviens juste de la teinte de l'écrin de velours, rouge décoloré, et j'ai lu au dos : « Susannah Kingsnorth, morte en 1723 ».

---

9. **betrothed to** : **engaged to** (plus courant).

10. **wedding** : *marriage* (cérémonie) ; **they had a quiet wedding** : *ils se sont mariés dans l'intimité* ; **wedding ring** : *alliance.*

11. **they say...** : **they** (**people in general**) : un des équivalents de *on.*

12. **a handsome one** : **one** est souvent employé pour éviter une répétition (celle de **witch** ici) ; **give me the big book, not the small one.**

13. **I was to meet tomorrow** : cf n 6.

14. **churchyard** est un *cimetière dans un village* (*l'enclos, la cour*, **yard** autour de l'église (**church**) ; dans une ville on parle de **cemetery.**

15. **she was dead** (état) ; **she died before the wedding** (action).

16. **bed** : notez ce sens de **bed** dans le contexte.

"That was in 1823." My uncle stopped short[1].

What happened?" I asked breathlessly[2].

"I believe I had a fit[3]," my uncle answered slowly; "at any rate[4], I was very ill."

"And you missed[5] the new moon on the grave?"

I missed the new moon on the grave."

And you never saw her again?"

"I never saw her again—"

"But uncle, do you really believe...? Can the dead[6]—was she—did you—"

My uncle took out his pipe and filled it[7].

"It's a long time ago," he said, "many, many years. Old man's tales, my dear! Old man's tales[8]. Don't you take[9] any notice of them."

He lighted[10] his pipe, and puffed silently a moment[11] or two before he said: "But I know what youth means, and love and happiness, though[12] I was always lame, and the girls used to laugh at me."

---

1. **stopped short** : **short** est un adverbe ici (**suddenly, abruptly**).

2. **breathlessly** est composé de **breath** (*souffle, haleine*), du suffixe **–less** (correspondant à *sans, sans souffle*) et de **–ly** qui fait de l'adj **breathless** un adverbe (formation courante).

3. **fit** : *accès, attaque soudaine* (d'une maladie).

4. **at any rate** : aussi *quoi qu'il en soit.*

5. **miss : be absent from ; he missed school because he was ill ;** contraire : **attend ; attend school, attend classes, attend church...**

6. **the dead** (adj pris comme nom, représentant toute une catégorie) ou **dead people**. Cf : **the blind,** *les aveugles,* **the living,** *les vivants.*

— Ça s'est passé en 1823.

Mon oncle s'arrêta net.

— Qu'est-ce qui s'est passé ? demandai-je, le souffle coupé.

— Je crois que je me suis évanoui, a répondu mon oncle d'une voix lente. En tout cas, j'étais très mal.

— Et tu as manqué la nouvelle lune sur la tombe ?

— J'ai manqué la nouvelle lune sur la tombe.

— Et tu ne l'as jamais plus revue, ta petite amie ?

— Je ne l'ai plus jamais revue.

— Mais, tonton, tu crois vraiment... ? Les morts peuvent-ils... ? Était-elle... ? Est-ce que tu...

Mon oncle prit sa pipe et la bourra.

— Il y a longtemps de cela, dit-il, des années et des années. Des histoires de vieux, mon p'tit ! Des histoires de vieux ! N'y prête aucune attention.

Il alluma sa pipe, sans mot dire l'espace de quelques instants, tira une ou deux bouffées avant de déclarer :

— Mais je sais ce que c'est que l'amour et la jeunesse et le bonheur, même si j'ai toujours boité et si les filles se moquaient de moi.

---

7. **filled it** (**with tobacco here**).

8. **old man's tales** : on parle plus souvent de **old wives' tales**, *histoires de bonnes femmes, contes à dormir debout.*

9. **don't you take** est plus fort que **don't take** (impératif négatif 2e personne).

10. **light, lit** ou **lighted, lit** ou **lighted.**

11. **moment** : **short time** ; **just a moment, please!** : *un instant, s'il vous plaît !*

12. **though** ou **although**.

18

O. Henry

Witches' Loaves

Pains de sorcières

O. Henry (1862-1910) est né en Caroline du Sud. C'est en prison, à la suite de détournement d'argent, que W.S. Porter, sous le pseudonyme de O. Henry (le nom d'un de ses gardiens) a commencé à écrire des nouvelles. Auteur prolifique, il en a écrit environ six cents, groupées en quelque dix volumes : ***The Four Million***, ***Cabbages and Kings***, ***Rolling Stones***, ***Waifs and Strays***, ***Sixes and Sevens***... Ses nouvelles sont caractérisées, comme ***Witches' Loaves***, par des coups de théâtre chargés d'ironie et des fins inattendues.

Miss Martha Meacham kept[1] the little bakery[2] on the corner (the one[3] where you[4] go up three steps, and the bell tinkles when you open the door).

Miss Martha was forty, her bank-book showed a credit of two thousand[5] dollars, and she possessed two false teeth and a sympathetic[6] heart. Many people have married whose chances[7] to do so[8] were much inferior to Miss Martha's[9].Two or three times a week[10] a customer came in whom she began to take an interest.

He was a middle-aged man[11], wearing[12] spectacles and a brown beard trimmed[13] to a careful point. He spoke English with a strong German accent. His clothes were worn and darned[14] in places, and wrinkled[15] and baggy in others. But he looked neat, and had very good manners. He always bought two loaves of stale bread. Fresh bread was five cents a loaf. Stale ones[16] were two[17] for five. Never did he call[18] for anything but[19] stale bread.

Once Miss Martha saw a red and brown stain on his fingers. She was sure then that he was an artist and very poor. No doubt he lived in a garret, where he painted pictures and ate bread and thought of[20] the good things to eat in Miss Martha's bakery.

---

1. **keep, kept, kept** : *garder* ; employé dans **keep a shop** (cf traduction).
2. **bakery** ou **baker's shop** ; **baker** : *boulanger* ; **bake** : *faire cuire au four.*
3. **the one** : **one** souvent employé pour éviter la répétition (de **bakery** ici).
4. **you** employé dans le sens de *on* (autre équivalent de *on* : **people**.)
5. **two thousand** : précédés d'un nombre précis, de **a few, several, many,** les mots **thousand, hundred, dozen** (*douzaine*) sont invariables.
6. **sympathetic** (faux ami) : *compatissant* ; *sympathique* : **nice, likeable.**
7. **chances** ; au singulier : **chance** (faux ami) : *hasard.*
8. **to do so** : **so** permet d'éviter **la répétition** (de **to marry** ici).
9. **Martha's (chances)** : le cas possessif incomplet sert aussi à éviter des répétitions ; **give me the boy's book, not the girl's** (*celui de, celle de*).
10. **three times a week** : notez cet emploi de **a** (aussi **per week**) ; cf aussi 7 l plus bas dans le texte : **five cents a loaf.**
11. **middle-aged** : adj composé avec un participe passé ou un faux participe passé en **–ed** : **snow-covered**, *couvert de neige* ; **narrow-minded**, *à l'esprit étroit* ; **gentle-mannered** : *aux manières douces* ; **middle** : *milieu.*

Miss Martha Meacham tenait la petite boulangerie au coin – celle à laquelle on accède en montant trois marches et où la clochette tinte quand on ouvre la porte. Miss Martha avait quarante ans, son compte en banque portait un crédit de deux mille dollars, elle avait deux fausses dents et un cœur plein de compassion. Bien des gens se sont mariés dont les chances de le faire étaient nettement inférieures à celles de Miss Martha. Deux ou trois fois par semaine un client se présentait, auquel elle commençait à s'intéresser.

C'était un homme d'âge moyen qui portait des lunettes et avait une barbe brune soigneusement taillée en pointe. Il parlait anglais avec un fort accent allemand. Ses vêtements étaient usés, reprisés par endroits et, par d'autres, froissés et déformés. Mais lui-même paraissait soigné et il avait de très bonnes manières. Il achetait toujours deux pains rassis. Le pain frais valait cinq cents l'unité. Le rassis coûtait cinq cents les deux. Jamais il ne venait chercher autre chose que du pain rassis.

Un jour, Miss Martha aperçut une tache rouge et brun sur ses doigts. Dès lors, elle se persuada que c'était un artiste et qu'il était très pauvre. Nul doute qu'il vivait dans un grenier où il peignait des tableaux, mangeait du pain rassis et pensait aux bonnes choses qu'il y avait dans la boulangerie de Miss Martha.

---

12. **wear, wore, worn** employé pour les lunettes et la barbe, comme pour les vêtements.

13. **trim** : *tailler, couper* (cheveux, barbe, haie).

14. **darn(ed)** : *repriser, raccommoder.*

15. **wrinkled** : (m. à m.) *ridé.*

16. **stale ones** : **one** au sing. ou au plur. est couramment employé pour éviter une répétition (ici **loaves** ; notez le plur en **–ves** des noms terminés par **–f** et **–fe** ; a **loaf**).

17. **two (loaves) for five (cents)**.

18. **never did he call** : **never, not only, hardly** (*à peine*) placés en début de phrase pour insister, entraînent la construction interrogative du verbe.

19. **<u>but</u> stale bread** : **except stale bread**.

20. **think <u>of</u>, thought, thought** : *penser à.*

Often when Miss Martha sat down to her chops and light rolls and jam and tea she would sigh[1], and wish that the gentle-mannered artist might share her tasty[2] meal instead of eating his dry crust in that draughty attic.

Miss Martha's heart, as you have been told[3], was a sympathetic one. In order to test[4] her theory as to his occupation, she brought from her room one day[5] a painting that she had bought at a sale, and set it against the shelves behind the bread counter.

It was a Venetian scene. A splendid marble palazzio (so it said on the picture) stood in the foreground[6]—or rather forewater. For the rest there were gondolas (with the lady trailing her hand in the water), clouds, sky, and chiaroscuro in plenty[7]. No artist could fail[8] to notice it.

Two days afterward[9] the customer came in.

"Two loafs of stale bread, if you blease[10].

"You haf here a fine bicture, madame," he said while she was wrapping up the bread.

"Yes?" says Miss Martha, reveling in[11] her own cunning[12].

---

1. **she would sigh** : **would** exprime ici une habitude du passé.

2. **tasty** ; **taste** : *goût* ; de même, ligne suivante, **draughty**, de **draught**, *courant d'air.*

3. **you have been told** : c'est la personne à qui on dit qqch (**you**) qui est sujet de la phrase passive ; il en est ainsi avec les v doublement transitifs **give, offer, buy, sell, ask, show**... qui expriment un échange ou la notion contraire **refuse, deny**... **I was given this book by my brother.**

4. **in order to test** ou **to test** : équivalents de *pour* marquant le but.

5. **one day** et non pas **a** dans ce sens : **he went away one morning in April.**

6. **foreground** est composé de **ground** (*terre, sol*), d'où le jeu de mots avec **forewater** ; **fore–** : *de devant, antérieur* (que l'on trouve dans **before**).

Souvent lorsque Miss Martha s'asseyait devant ses côtelettes, ses petites brioches légères, sa confiture et son thé, elle poussait des soupirs en souhaitant que l'artiste aux douces manières puisse partager son délicieux repas au lieu de manger son croûton de pain rassis dans ce grenier plein de courants d'air.

Le cœur de Miss Martha, comme on vous l'a dit, était plein de compassion.

Afin de vérifier ses conjectures quant à l'occupation de son client, elle apporta un jour, de son appartement, un tableau qu'elle avait acheté à une vente et elle le posa sur les étagères aménagées derrière le comptoir.

C'était une scène à Venise. Un splendide palais de marbre – disait la légende du tableau – se dressait à l'arrière-plan – ou plutôt au premier plan de la pièce d'eau. Quant au reste, il y avait des gondoles – avec la dame qui laissait traîner ses doigts dans l'eau –, les nuages, le ciel et un clair-obscur à profusion. Nul artiste ne pouvait manquer de le remarquer.

Deux jours plus tard, l'homme entra.

— Deux pains rassis, s'il fous plaît.

— Fous afez là un peau tableau, madame, dit-il pendant qu'elle enveloppait le pain.

— Oui ? fit Miss Martha, savourant sa ruse.

---

7. **plenty** : *abondance* ; **plenty of books** : *quantité de livres, des livres à foison* ; **plentiful** : **abundant**.

8. **fail to** (du français *faillir*) : *ne pas arriver à, ne pas réusir à* ; **I fail to understand why he came** : *je n'arrive pas à comprendre pourquoi il est venu* ; **I failed to do it** : *je n'ai pas réussi à le faire.*

9. **afterward** (US), **afterwards** (GB).

10. **two loafs... if you blease** : l'anglais de l'artiste allemand est très approximatif, du point de vue de la grammaire comme de la prononciation ! (Le pluriel de **loaf,** *miche, pain,* est **loaves.**

11. **revel(ling) in** : *se délecter à, prendre grand plaisir à.*

12. **cunning** est aussi adj : *astucieux, malin, rusé,* et implique des intentions malhonnêtes, menaçantes, qui cherchent à duper ou profiter d'autrui.

"I do so admire art[1] and" (no, it would not do[2] to say "artists" thus early[3]) "and paintings," she substituted. "You think it is a good picture?"

"Der balace[4]," said the customer, "is not in good drawing. Der bairspective of it is not true. Goot morning, madame." He took his bread, bowed, and hurried out[5].

Yes, he must be an artist[6]. Miss Martha took the picture back to her room. How gentle and kindly his eyes shone[7] behind his spectacles! What a broad brow[8] he had! To be able to judge perspective at a glance—and to live on stale bread[9] But genius often has to struggle[10] before it is recognized. What a thing it would be for art and perspective if genius were backed[11] by two thousand dollars in the bank, a bakery, and a sympathetic heart to—[12] But these were day-dreams, Miss Martha.

Often now when he came he would chat for a while across the showcase. He seemed to crave[13] Miss Martha's cheerful[14] words. He kept on[15] buying stale bread. Never a cake, never a pie, never one of her delicious Sally Lunns[16].

---

1. **I do so admire art** : **I admire art so much** (plus courant).

2. **it would not do** : **do** a ici le sens de *convenir, être satisfaisant, faire l'affaire* ; **it would not do to ask him now** : *il ne serait pas adroit, ça ne serait pas à faire que de le lui demander maintenant.*

3. **thus early** : **thus** (avec un adj ou un adv) : *à ce point, dans cette mesure, si* ; **thus far** : *jusqu'ici, jusque-là* ; **early** : (adv ici) *tôt.*

4. L'anglais correct est **the palace** ['pælɪs].

5. **hurried out** : dans ces cas il est conseillé de traduire la particule adverbiale par un verbe et le verbe par la manière dont se fait l'action (*sortit rapidement*).

6. **must be an artist** : **must** exprime ici la quasi-certitude, la forte probabilité.

7. **how gentle ... his eyes shone** : **how** exclamatif, avec verbe à la forme affirmative, à ne pas confondre avec **how** interrogatif : **how old is he?**

8. **what a broad brow** (**forehead**, plus courant) : **what** exclamatif + **a, an** + nom dénombrable (concret singulier) ; exceptions : **what a pity!** *quel dommage !* **what a shame!** *quelle honte !* **what a relief!** *quel soulagement !*

— J'ai une telle admiration pour l'art (et... non, ce ne serait pas bien de dire « les artistes » à un stade si prématuré) et la peinture, dit-elle à la place. Vous pensez que c'est un bon tableau ?

— Le balais, répondit le client, n'est pas bien dessiné. La berspective n'est pas juste. Au refoir, madame.

Il prit son pain, fit une courbette et sortit rapidement.

Oui, ce devait sûrement être un artiste. Miss Martha rapporta le tableau dans son appartement. Comme ses yeux brillaient, doux et bons, derrière ses lunettes ! Quel vaste front il avait ! Être capable de juger la perspective d'un coup d'œil et vivre de pain rassis ! Mais le génie doit souvent se battre avant d'être reconnu. Quelle aubaine ce serait pour l'art et la perspective si le génie était soutenu par deux mille dollars à la banque, une boulangerie et un cœur plein de compassion pour... Mais cela, c'était rêver, Miss Martha.

Souvent maintenant, quand il venait, il bavardait quelque temps de l'autre côté du comptoir. Il semblait fortement désireux d'entendre les paroles chargées de bonne humeur prononcées par Miss Martha. Il continuait à acheter du pain rassis. Jamais un gâteau, jamais une tarte, jamais un de ses délicieux Sally Lunns.

---

9. **live on stale bread.**

10. **has to struggle** : **have to** exprime une obligation, une contrainte venue de l'extérieur ; **you'll have to leave at six or else you'll miss the train.**

11. **if genius were backed (helped)** : **were** est ici un subjonctif marquant l'hypothèse, la supposition ; dans le langage courant on emploie souvent **was** à la place.

12. **to—** : **to love him** (sous-entendu) ; le tiret est l'équivalent de points de suspension.

13. **crave** ou **crave for** : **desire, long for, yearn for** ; **crave (for) affection.**

14. **cheerful** : **joyful, in good spirits.**

15. **kept on buying** : **continued buying, went on buying** (**on** marque ici la continuation).

16. **Sally Lunn(s)** : gâteau rond, légèrement sucré, du nom d'une boulangère du XVIIe siècle, Sally Lunn.

She thought he began to look thinner[1] and discouraged. Her heart ached[2] to add something good to eat to his meager purchase, but her courage failed[3] at the act. She did not dare affront him. She knew the pride[4] of artists.

Miss Martha took to[5] wearing her blue-dotted silk waist[6] behind the counter. In the back room she cooked a mysterious compound[7] of quince seeds and borax. Ever[8] so many people use it for the complexion.

One day the customer came in as usual, laid his nickel on the showcase[9], and called for his stale loaves. While Miss Martha was reaching[10] for them there was a great tooting[11] and clanging[12], and a fire-engine came lumbering[13] past. The customer hurried to the door to look, as anyone[14] will[15]. Suddenly inspired, Miss Martha seized the opportunity.

On the bottom shelf[16] behind the counter was a pound of fresh butter that the dairyman[17] had left ten minutes before. With a breadknife Miss Martha made a deep slash[18] in a each of the stale loaves, inserted a generous quantity of butter, and pressed the loaves tight[19] again. When the customer turned[20] once more she was tying the paper around them.

---

1. **look thinner** : **look** (sans prép !) : *sembler, paraître* ; **look at** : *regarder* ; **look for** : *chercher.*

2. **ache(d)** : **to ache to do sth** ou **to be aching to do sth** : *mourir d'envie de faire qqch.*

3. **failed** : 1. *échouer.* 2. *manquer.* 3. *s'affaiblir.* 4. *tomber en panne*

4. **pride** : *orgueil, fierté* ; **his pride was hurt** : *il était blessé dans son orgueil* ; **take pride in** : *être fier de, se faire gloire de* ; **proud** : *fier, orgueilleux.*

5. **take to, took, taken** : **begin an activity, begin to do sth** : comment la préposition (ou la particule adverbiale) change considérablement le sens du verbe (**take**, *prendre*). C'est une grande caractéristique de l'anglais.

6. **waist** : (US), **bodice** (GB).

7. **compound** : **mixture.**

8. **ever** sert ici à insister (d'où la traduction) : **Why ever not? Thomas asked Alex vehemently** : *Mais enfin, pourquoi pas ? demanda Thomas à Alex avec véhémence* ; **they lived happily ever after** : *ils vécurent heureux jusqu'à la fin de leurs jours* ; ***the first ever*** : *le tout premier.*

Elle se dit qu'il commençait à avoir l'air amaigri et découragé. Avec son bon cœur, elle mourait d'envie d'ajouter quelque chose de bon à manger à ses menus achats mais le courage lui manquait pour s'exécuter. Elle n'osait pas s'y frotter. Elle connaissait la fierté des artistes.

Miss Martha se mit à porter son corsage de soie à pois bleus derrière le comptoir. Dans l'arrière-boutique elle prépara un mystérieux mélange de coings et de borax. Tant et tant de gens en faisaient usage pour améliorer le teint de leur visage.

Un jour, le client entra comme d'habitude, posa sa pièce de cinq cents sur le comptoir et demanda ses pains rassis. Pendant que Miss Martha tendait le bras pour les prendre, il y eut une série de coups de klaxon et de bruits métalliques et une grosse voiture de pompiers passa.

Le client se précipita à la porte, comme l'aurait fait n'importe qui. Soudainement inspirée, Miss Martha saisit l'occasion.

Sur la dernière étagère, derrière le comptoir, se trouvait une livre de beurre frais que le crémier avait déposée dix minutes plus tôt. À l'aide d'un couteau, Miss Martha fit une grosse entaille dans chacun des pains rassis, y fourra une bonne quantité de beurre et les referma d'une pression énergique. Quand le client se retourna elle était en train de les envelopper de papier.

---

9. dans **showcase** il y a **show, showed, shown** (*montrer*).

10. **reach**(**ing for**) : *atteindre.*

11. **toot**(**ing**) : (n) *coup de klaxon* (v) *klaxonner, donner un coup de klaxon.*

12. **clang**(**ing**) : (n) *bruit, fracas métallique* (v) *émettre un son métallique.*

13. **lumber**(**ing**) : *rouler pesamment* (d'où *grosse voiture de pompiers*).

14. **anyone, anybody** : *n'importe qui* ; **any**, dans une une phrase affirmative, a le sens de *n'importe* ; **any boy of your age knows that.**

15. **will** (**hurry to the door**) exprime ici une disposition naturelle, une vérité à caractère inévitable : **boys will be boys,** *on ne peut empêcher les garçons de se conduire en garçons.*

16. **bottom shelf** et le contraire : **top shelf.**

17. **dairyman** composé de **dairy** : *laiterie* (à la ferme), crèmerie (boutique).

18. **slash** : (n) entaille, taillade, (v) *trancher, couper net.*

19. **tight** : (adv ici) *bien, solidement.*

20. **turn**(**ed**) : (ici) *se retourner* (sans réfléchi en anglais).

When he had gone[1], after an unusually[2] pleasant little chat, Miss Martha smiled to herself, but not without a slight fluttering[3] of the heart. Had she been too[4] bold? Would he take offence[5]? But surely not. There was no language of edibles[6]. Butter was no emblem of unmaidenly[7] forwardness[8]. For a long time that day her mind dwelt on[9] the subject. She imagined the scene when he should discover the little deception[10].

He would lay down his brushes and palette. There would stand his easel with picture he was painting[11] in which the perspective was beyond[12] criticism. He would prepare for his luncheon of dry bread and water. He would slice[13] into a loaf—ah! Miss Martha blushed. Would he think of[14] the hand that placed it there as he ate? Would he—

The front door bell jangled viciously[15]. Somebody was coming in, making a great deal of[16] noise[17]. Miss Martha hurried to the front. Two men were there. One was a young man smoking a pipe[18]—a man she had never seen before. The other was her artist. His face was very red, his hat was on the back of his head, his hair was wildly[19] rumpled. He clenched his two fists and shook them ferociously at Miss Martha. *At Miss Martha.*

---

1. **he had gone** : emploi de **have** et non de **be** !

2. **unusually** (adv) ; **unusual** (adj) : *inhabituel* ; **usual** : *habituel* ; **as usual** : *comme d'habitude.*

3. **flutter(ing)** : *palpiter* (cœur).

4. **too** seul devant un adj, sinon **too much bread**, **too many loaves** et avec un verbe : **he speaks too much**.

5. **offence : animosity, resentment** ; **give, cause offence to sb** : *froisser, offenser qqn* ; **no offense taken!** : *il n'y a pas de mal !*

6. **edibles** (n plur) : **comestibles** ; **edible** (adj) *mangeable, comestible.*

7. **unmaidenlly** est composé de **maiden** ou **maid (unmarried woman)** ; **maiden name** : *nom de jeune fille* ; **maiden aunt** : *tante célibataire.*

8. dans **forwardness** il y a **forward** (adj) *effronté* ; **forward** (adv) : *en avant.*

9. **dwell on, dwelt** ou **dwelled, dwelt** ou **dwelled** : ***s'étendre sur, s'appesantir** sur* ; **don't dwell on it** : *n'y pense plus.*

10. **deception** : (faux ami) **trick, ruse** (tromperie, duperie, ruse) ; **disappointment** : *déception.*

Quand il fut parti, après un brin de causette particulièrement agréable, Miss Martha sourit intérieurement mais non sans une légère excitation. Avait-elle été trop audacieuse ? Serait-il froissé ? Mais sûrement pas ! Les aliments ne parlaient pas. Le beurre ne symbolisait pas une hardiesse indigne d'une demoiselle. Pendant longtemps ce jour-là, son esprit s'attarda sur cette question. Elle imagina la scène quand il découvrirait sa petite ruse.

Il poserait ses pinceaux et sa palette. Il y aurait son chevalet avec le tableau qu'il était en train de peindre, dans lequel la perspective était irréprochable. Il se préparerait à prendre son déjeuner composé d'un croûton rassis accompagné d'eau. Il trancherait un des pains. Ah ! Miss Martha rougit. Penserait-il, en mangeant, à la main qui avait placé là le beurre ? Est-ce que...

La clochette retentit avec un méchant bruit de ferraille. Quelqu'un entra en faisant un tintamarre de tous les diables. Miss Martha se précipita dans la boutique. Deux hommes étaient là. L'un était jeune et fumait la pipe. C'était quelqu'un qu'elle n'avait jamais vu auparavant. L'autre était son artiste. Celui-ci avait le visage tout rouge, le chapeau planté sur l'arrière de la tête, les cheveux ébouriffés dans tous les sens. Il avait les deux poings fermés et les brandissait en direction de Miss Martha. *De Miss Martha.*

---

11. **the picture (which) he was painting** : suppression très fréquente du relatif complément d'objet direct ! **The lady (whom) I met the other day** ; **a man (whom) she had never seen before** (cf 8 lignes plus bas, dans le texte).

12. **beyond** : *au-delà de* ; **beyond reach** : *hors de portée* ; **beyond doubt** : *hors de doute* ; **it's beyond me** : *ça me dépasse, je ne comprends pas.*

13. **to slice** : *couper* (en tranches) ; **a slice** : *une tranche.*

14. **think of** ; **think, thought, thought** ; **thought** : (n) *pensée.*

15. **vicious(ly)** : **fierce, ferocious, savage.**

16. **a great deal of** : **a lot of, plenty of.**

17. **making a noise** (pas **do** !) ; **make a bed** mais **do a room** !

18. **smoking a pipe** : *fumant la pipe.*

19. **wildly** : *d'une manière désordonnée* ; **wild** (adj) : *qui échappe à toute règle, à tout contrôle, désordonné, effréné, déchaîné, tumultueux...* (selon le contexte).

"*Dummkopf!*" he shouted with extreme loudness[1]; and then "Tausendonfer!" or something like it, in German. The young man tried to draw him away[2].

"I vill not go," he said angrily[3], "else I shall told her[4]."

He made a bass drum of Miss Martha's counter.

"You haf shpoilt[5] me," he cried, his blue eyes blazing[6] behind his spectacles. "I vill tell you. You vas von meddlingsome[7] old cat!"

Miss Martha leaned weakly[8] against the shelves and laid one hand on her blue-dotted silk waist. The young man took his companion by the collar.

"Come on," he said, "you've said enough." He dragged the angry one out at the door to the sidewalk[9], and then came back.

"Guess[10] you ought to be told[11], ma'am," he said, "what the row is about. That's Blumberger. He's an architectural draughtsman[12]. I work in the same office with him.

"He's been working hard for three months[13] drawing a plan for a new city hall. It was a prize[14] competition. He finished inking[15] the lines yesterday. You know, a draughtsman always makes his drawing in pencil first.

---

1. **with extreme loudness** ou **very loudly**; **loud** (adj) : *fort* (bruit, voix...).

2. **to draw... away** : **cause to move away**; **draw, drew, drawn.**

3. **angrily** : **angry** (adj) *en colère*; **anger** : *colère.*

4. **else I shall told her** : dans son mauvais anglais l'artiste allemand veut dire : **until I tell her** ou **not before telling her.**

5. **sphoilt** pour **spoilt** : **spoil, spoilt** ou **spoiled, spoilt** ou **spoiled** : *gâter, gâcher.*

6. **blazing** : **to blaze** : *flamber, flamboyer*; **blaze** (n) *flambée*; **in a blaze of anger** : *dans le feu de la colère, dans une explosion de colère.*

7. **meddlingsome** pour **meddlesome** ou **meddling** : (adj) *qui fourre son nez partout*; **meddle with** : *se mêler de, s'occuper de* (ce qui ne vous regarde pas); **he is a compulsive meddler** : *il faut qu'il fourre son nez partout.*

8. **weakly** (adv); **weak** (adj) : *faible.*

9. **sidewalk** (US), **pavement** (GB).

— *Dummkopf!* cria-t-il très très fort, puis *Tausendonfer* ou quelque chose comme ça. Non, fit-il en colère, pas avant de lui afoir dit !

Il donna des coups sur le comptoir de Miss Martha comme s'il se fût agi d'une grosse caisse.

— Vous m'afez gâché..., cria-t-il ; ses yeux bleus jetaient des éclairs derrière ses lunettes. « Je fais fous dire. Vieille méchère, vous afez fourré votre nez !...

Miss Martha, se sentant faible, s'appuya contre les étagères et posa une main sur son corsage à pois bleus. Le jeune homme saisit son compagnon par le col.

— Venez, fit-il, vous en avez assez dit.

Il entraîna l'homme en colère jusqu'à la porte et le fit sortir sur le trottoir puis revint sur ses pas.

— Je pense, dit-il, qu'il faut vous expliquer, madame, la cause de cette dispute. Cet homme est Blumberger. Il est architecte. J'exerce dans le même bureau que lui. Il travaille dur depuis trois mois à dessiner un plan pour un nouvel hôtel de ville. C'était un concours. Il a fini de repasser les lignes à l'encre, hier. Vous savez, un dessinateur commence toujours par faire ses dessins au crayon.

---

10. (I) **guess** : **think, suppose** ; **guesswork** : *conjecture, hypothèse.*

11. **to be told** : rappel : emploi du passif en anglais là où le français utiliserait la voix active (*on, il faut que...*, etc.).

12. **he's <u>an</u> architectural draughtsman** : emploi de l'article défini **a** ou **an** devant un attribut (souvent un nom de métier) ; **my father is a doctor** ; **a draughtsman** (*dessinateur*) **draws plans** ; **draw, drew, drawn** : *dessiner* (Blumberger dessine et il est un grand architecte, comme l'indique la suite).

13. **<u>he's been working</u> hard for three months** : le present perfect (à la forme progressive ici) indique une action commencée dans le passé (il y a trois mois) mais qui continue dans le présent.

14. **prize** : *prix* ; **win first prize** : *remporter le premier prix* ; **competition** : **go in for a competition** : *se présenter à un concours.*

15. **ink(ing)** : *passer à l'encre* (**ink**) ; **written <u>in</u> ink** : *écrit à l'encre.*

When it's done[1] he rubs out[2] pencil lines with handfuls of stale breadcrumbs. That's better than india-rubber.

"Blumberger's been buying the bread here. Well, to-day—well, you know, ma'am, that butter isn't—well, Blumberger's plan isn't good for anything now except to cut up into railroad[3] sandwiches."

Miss Martha went into the back room. She took off[4] the blue-dotted silk waist and put on the old brown serge she used to wear[5]. Then she poured the quince seed and borax mixture out of the window into the ash can[6].

---

1. **done** : (ici) **over, finished ; I'll be glad when it's all over and done with** : *je serai content quand tout sera fini et bien fini.*

2. **rub out** : *(s')effacer* ; **that ink won't rub out** : *cette encre ne s'effacera pas* ; **india rubber, rubber, eraser** (US) : *gomme.*

3. **railroad** (US), **railway** (GB) : *chemin de fer.*

4. **take off, took, taken** et le contraire **put on, put, put** : *mettre* (vêtement).

5. **wear, wore, worn** : *porter* (vêtement).

6. **ash can** (US), **garbage can** (US), **trash can** (US), **dustbin** (GB).

— Quand c'est terminé, il efface les lignes au crayon avec des poignées de miettes de pain rassis. C'est mieux qu'une gomme. Blumberger a acheté le pain ici. Eh bien ! aujourd'hui... eh bien ! vous savez, madame, ce beurre n'est pas... enfin, le plan de Blumberger n'est bon à rien à présent qu'à envelopper les sandwichs des gens qui voyagent en train !

Miss Martha passa dans l'arrière-boutique. Elle ôta le corsage de soie à pois bleus et mit celui en serge marron qu'elle portait d'habitude. Puis elle vida par la fenêtre, dans la poubelle, le mélange de pépins de coings et de borax.

Cet ouvrage a été composé et mis en page
par Peter Vogelpoel et Déclinaisons

Imprimé en France par CPI
en juillet 2018
N° d'impression : 2037702

POCKET – 12, avenue d'Italie – 75627 Paris Cedex 13

Dépôt légal : avril 2013
Suite du premier tirage : juillet 2018
S22564/06